S0-BRR-370

基本から応用、戦術まで詳細解説！

剣道
パーフェクトマスター

千葉仁 著

はじめに

「一剣興国」、これは私が座右の銘として大切にしている言葉です。この言葉は、"国や人のために役立つ剣道"という意味ですが、私は現役を引退してからも現在に至るまで、この教えに近づくための修行を毎日続けています。

最近の世の中は、"これが果たして人間のすることだろうか"と疑いたくなる悲しい事件がとくに目立ってきているように思います。このことは、政治や経済、教育などさまざまな社会的要因があると思いますが、何よりも私は"しつけ"の不足に原因があるのではないかと感じています。「ごはんを食べたら食器を片づけなさい」「人に会ったらきちんとあいさつをしなさい」こういった細かいしつけを受けることなく、大人になってしまうことが問題なのではないかと思うのです。

私は、こういった現代の社会にこそ剣道が必要であると信じています。剣道は、竹刀で打ち合い、戦いの技術を磨く対人格闘技です。しかし、そこにある剣道精神は決して単なる叩き合いではありません。"相手がいればこそ、自分が成長できる"。相手に対して尊敬と感謝の念を抱くことが、剣道修行にとって一番大切なことなのです。そのため、剣道では、言葉遣いやあいさつなど礼法を学ぶことから修行が始まります。このような剣道の教えは、必ず日常生活にも活かすことができるのです。そして、剣道を通して、多くの人に武道の素晴らしさを伝えていくということが、私にとっての「一剣興国」なのではないかと思います。本書では、剣道における基本的な技術を中心に、できるだけわかりやすく解説しているつもりです。また、写真では理解しにくい技術も、映像による解説と併せて読んでいただければご理解いただけると思います。日々の稽古の参考として、そして、何よりも楽しく剣道を学ぶために、本書がお役に立てれば、これに勝る幸せはありません。みなさんの修行が実りあるものになるよう心よりお祈り申し上げます。

警視庁名誉師範・一橋大学剣道師範・範士八段　千葉仁

剣道パーフェクトマスター
付属DVDの使い方

　本書に付属されているDVDには、本の内容と連動した技術解説が収録されています。本書のページ右上にDVDマークがついている項目は、映像にも同内容の解説が収録されていることを表しています。また、DVD映像の画面左下には本書の該当ページが表示されています。本書とDVDを併せてご覧下さい。

本書

DVD収録マーク

本書の該当ページ

本とDVDの両方で解説

P24～P25

メインメニューの構成

スポーツ・ステップアップDVDシリーズ

剣道パーフェクトマスター

千葉仁 範士八段
インタビュー

全ての項目を
自動再生！

Play All

第一章 入門編
第二章 基本的な技術
第三章 実戦的な技術
第四章 稽古
第五章 極意

メインメニューは、
スペシャルインタビューを含む全6項目!

　DVDを再生すると、オープニング映像終了後にメインメニューが表示されます。「第一章・入門編」「第二章・基本的な技術」「第三章・実戦的な技術」「第四章・稽古」「第五章・極意」という項目タイトル、さらに「千葉仁範士八段インタビュー」という計6項目のリンクが表示されます。それぞれの項目を選択すると、サブメニューへとリンクし、「Play All」を選択すると全ての項目が自動再生されます。

→ サブメニュー画面へ

●第一章

第一章 入門編
第一章 Play All
Main menu
構え
足さばき その1
足さばき その2
素振り その1
素振り その2
素振り その3
間合い

●第二章

第二章 基本的な技術
第二章 Play All
Main menu
正面打ち
小手打ち
胴打ち
突き
左右面打ち
切り返し
体当たり
残心

●第四章

第四章 稽古
第四章 Play All
Main menu
打ち込み稽古
掛り稽古
互角稽古
試合稽古

●第五章

第五章 極意
第五章 Play All
Main menu 次>
水平打ち
出ばな技の極意
応じる技の極意
間合いの攻防の基本

第五章 極意
Main menu <前
タイプ別攻略法 その1
タイプ別攻略法 その2
タイプ別攻略法 その3
タイプ別攻略法 その4
上段技 その1
上段技 その2

●第三章

第三章 実戦的な技術
第三章 Play All
Main menu
間合いの攻防
―仕掛け技・面―
一本打ち・面
払い面
連続技 面～面

第三章 実戦的な技術
Main menu <前 次>
―仕掛け技・小手―
一本打ち・小手
払い小手
連続技 小手～面
―仕掛け技・胴―
一本打ち・胴
飛び込み胴
連続技 小手～胴

第三章 実戦的な技術
Main menu <前 次>
―仕掛け技・引き技―
鍔ぜり合い
引き面
引き胴
引き小手

第三章 実戦的な技術
Main menu <前
―応じる技・胴に対して―
胴返し面
胴打ち落とし面
―応用技術―
かつぎ面
揚き落とし面
片手面

第三章 実戦的な技術
Main menu <前 次>
―応じる技・小手に対して―
小手相打ち面
小手すり上げ面
小手返し面
小手打ち落とし面
小手抜き面

第三章 実戦的な技術
Main menu <前 次>
―応じる技・面に対して―
出ばな面
出ばな小手
面すり上げ面
面返し胴
面抜き胴
面切り落とし面

千葉仁 範士八段のインタビューは、
サブメニューなしで直接再生されます。

サブメニュー画面について

メインメニューで各章を選択すると、サブメニューへとリンクします。さらに、サブメニューの各項目タイトルを選択すると、その技術解説の画面に直接リンクすることができます。また、各章1枚目のサブメニュー画面左にある「Play All」を選択すると、その章の全項目が自動再生されます。

映像解説の主な特徴

●ナレーションで詳細解説！

本書と連動したDVD映像解説では、ナレーションによって、さらにわかりやすく解説されています。また、それぞれの章のポイント、「剣豪・千葉仁直伝『技の極意』」などは、実際に千葉仁 範士八段がレクチャー形式で解説しています。イメージしにくい部分もすべてフォロー！

正面打ち

右足の着床と同時に、竹刀を振り下ろす

●ポイントのチェック

各項目のとくに重要なポイントは、スローモーション、クローズアップ、リプレイなどを使用し、ひと目で理解できるようわかりやすく表現しています。竹刀の握り方、足さばき、手首の使い方など、さまざまなポイントを頭に入れて、稽古の参考にしましょう！

正面打ち

POINT
腰を水平に移動させるイメージ

●稽古の方法

本書では、技術的な解説だけでなく、基本的な稽古方法も紹介しています。「打ち込み稽古」「掛り稽古」「互角稽古」「試合稽古」という4つの稽古法を、千葉仁 範士八段と林貴雄 教士七段の迫力ある実演で各ポイントを解説しています。千葉 範士八段の冴えのある上段技は必見！

試合稽古

P136～P137

●必見！「技の極意」

　古くから伝わる基本技術を、わかりやすい言葉で伝えることを信条とする千葉 範士。このコーナーでは、これまでの豊富な経験から得た、さまざまな技の極意を千葉範士自らが直接レクチャーしてくれます。全日本を3度制覇した伝説の上段技も惜しみなく披露！

●書籍制作
編集：千葉慶博（株式会社ケイ・ライターズクラブ）
編集協力：田中剛（株式会社ケイ・ライターズクラブ）
デザイン・DTP・イラスト：加藤智子（T-ROOM）
写真撮影：三船貴光（フォート・キシモト）

●監修・実演
千葉仁　範士八段

●出演協力
林貴雄　教士七段

●DVD制作
ディレクター：大塚岳史
アシスタントディレクター：工藤洋介
カメラ：金子博、高木宏二、橋本智司
音声：小熊英俊
編集：佐藤一輝
MA：庭野賢司、伊藤賢
ナレーター：松平真之介（クルークス）
オーサリング（DLT変換含む）：
fms（フラッグ メディアサービス）

目次 Contents

1

3

第4章 基本的な稽古とポイント
BASIC TRAINING
稽古で技を練り上げる!……128

4

第5章 剣豪・千葉仁 直伝「技の極意」
THE SECRET OF THE TECHNIQUE
●極意

第6章 補助運動＆用具のケア
SUPPORTING EXERCISE & THE CARE FOR GOODS

別冊：試合ですぐ役立つ！　剣道のルール＆基礎知識

第 1 章

入門編

FOR BEGINNER

Special Interview
to Masashi Chiba

スペシャルインタビュー
剣豪・千葉仁 範士八段

「打って反省、打たれて感謝」

チャンバラ映画や漫画の ヒーローに憧れていた！

　昭和27年（1952年）に全日本剣道連盟が発足した頃、私は小学校2年生でした。当時の子どもたちの間では、『鞍馬天狗』や『赤胴鈴之助』といったチャンバラ映画や漫画などが流行っていまして、自分もヒーローたちと同じように剣道をやってみたいなと思ったのが、剣道を始めたきっかけです。中学校に進学してから剣道部に入部したんですが、その頃は戦後の影響で防具も4〜5組しかなく、当初は素振りしかでき

ないような状況でした。そのうち先輩に防具を借りて稽古をするようになってから、剣道の楽しさを味わえるようになったんです。剣道部には、10数人の仲間がいましたが、私はその中でも下手な方でしたね。

よき師匠との出会いは 剣道上達には欠かせない！

　私は、師匠を100％信頼して、その教えに従って稽古に励むことが、剣道上達の早道だと思います。「3年かけてもよい師を捜せ」という言葉がありますが、剣道や柔道、

華道、茶道など"道"のつくものは、やはり"先生の言うことを聞く"ということが上達には欠かせない条件だと思います。幸いにも、私は中学校の頃に石川茂先生という素晴らしい師匠と出会うことができました。おかげで剣道の名門である小牛田農林高校に進学するきっかけにもなりましたし、現在の私につながる原点ともなりました。その後も、多くの素晴らしい先生方と出会い、そのことが私の生涯にとって最高の宝ですね。

努力に勝る天才なし！強くなるには稽古と研究

スポーツの一流選手に共通していることは、やはり人の倍以上の努力を重ねているということです。「努力に勝る天才なし」というように、強くなるためには人より多くの稽古を積み重ねることが必要です。そして、工夫と研究。ただ、いたずらに稽古を続けるだけでなく、「打たれたら、なぜ？　打ったら、なぜ？」というように原因を考え、反省しながらいろいろな工夫と研究をしていくことが重要だと思います。

剣道修行は相手を尊敬する気持ちが大切！

剣道は、相手がいなければ上達できません。人と剣を交えてこそ技術が向上していくのです。つまり、相手は自分にとって成長させてくれる大切な存在というわけです。ですから、常に相手に感謝し、尊敬する気持ちで臨むという姿勢が剣道には一番重要なことなんですね。「打って反省、打たれて感謝」という相手を敬う気持ちで稽古に励んでほしいと思います。そして、この剣道の学び方を日常生活に活かしてくれれば、人との接し方がとても楽になると思います。両親や先生の言うことをよく聞いて、仲間を大切にしながら、剣道を楽しく学んでほしいですね。

千葉 仁（ちばまさし）
1944年4月20日、宮城県生まれ。範士八段。小牛田農林高校から警視庁に奉職。全日本選手権優勝3回、準優勝2回、世界選手権団体優勝2回など、数々の栄冠に輝く。現在は警視庁名誉師範、一橋大学剣道師範を務める。

剣道の歴史

POINT 剣道誕生の歴史を学んでおこう！

剣道の起源って？

　剣道は、刀剣を使用して相手と戦う技術を発祥(はっしょう)の起源とし、日本独自の考え方などを採り入れながら発展してきた伝統的な運動文化です。日本における戦いの始まりは、紀元前4世紀頃までさかのぼるといわれ、弥生(やよい)時代と呼ばれる紀元前3世紀頃には、すでに武器を使用した戦闘があったとされています。その後、鉄製の刀剣などが生まれ、近隣の国との交戦などを経て、武器や戦闘技術は、徐々に進化していきました。

武士と日本刀の誕生

　平安時代になると、武士の出現とともに、弯刀(ばんとう)（弓なりに反った刀）で鎬(しのぎ)（刃と峰との間に刀身を貫いて走る稜線）造りの刀である日本刀が誕生しました。やがて、鎌倉、室町の時代を経た後、日本は戦国時代へと突入しますが、この頃から剣術の各流派が次々に生まれることになります。また、刀を作る技術も飛躍的に洗練されていきました。

　江戸時代になると、日本は平和な

武士と日本刀の誕生が剣道のルーツとなった。
© photo：AFLO

1895年に発足した大日本武徳会の武徳殿。
© フォート・キシモト

毎年、11月3日に行われる全日本剣道選手権大会。
© フォート・キシモト

世の中となりました。そして、剣術は、人を殺（あや）める技術から、武士としての人間形成を目指す「活人剣（かつじんけん）」という精神へと変化し、技術だけでなく生き方に関する心のあり方を修行する考え方が、誕生したのです。ここで生まれた武士道の精神は、現代も日本人の心に生き続けています。

 ## 現代の剣道に至るまで

日本で最初に、防具と竹刀を使った稽古を開発したのは、直心影流（じきしんかげりゅう）の長沼四郎左右衛門（ながぬましろうざえもん）（1688〜1767年）という人で、その後、多くの流派へと広がっていきました。

やがて、明治維新によって剣術は下火になりますが、1895年（明治28年）に武術の振興を図る全国組織として大日本武徳会が設立されます。1912年（大正元年）には、流派を超えた新たな基本の形（かた）となる「大日本帝国剣道形（だいにほんていこくけんどうがた）（後の「日本剣道形」）」が制定されました。

第二次大戦後、剣道は制限されますが、1952年（昭和27年）の全日本剣道連盟の発足によって復活。また、1970年（昭和45年）には、国際剣道連盟が結成され、現在では、多くの国で広く親しまれています。

主な団体・大会

● 全日本剣道連盟

国内の剣道の全体を統括（とうかつ）する団体。全国47都道府県の剣道連盟を加盟団体として構成し、講習会の開催、指導者の養成、称号や段級の審査および授与などを行っています。

● 国際剣道連盟（FIK）

各国・地域を代表する唯一の剣道統括団体によって構成されています。3年に1度開催される世界剣道選手権の開催をはじめ、国際的な剣道の普及（ふきゅう）を図っている団体です。

全日本剣道選手権大会

毎年、11月3日に日本武道館で開催される剣道日本一を決める大会。優勝者には天皇杯が贈られます。

全日本女子剣道選手権大会

毎年、9月の第一日曜日に静岡県武道館で開催される女性剣士日本一を決める大会。

全日本東西対抗剣道大会

全国を東西ふたつのチームに分け、各地の剣道六〜八段の剣士の中でも心技ともに円熟した精鋭たちによる1チーム35名の団体戦で勝敗を決める大会。女子も同時開催。

世界剣道選手権大会

国際剣道連盟の主催で、3年に1度開催される剣道の世界一を決める大会。国別対抗の団体戦と、各国代表による個人戦が行われます。

剣道の礼法

POINT 剣道は、礼に始まり、礼に終わる！

座るときは左足から先に座り、立ち上がるときは右足から先に立つこと！

両ヒザの間隔は、拳1つか2つ分開けること！

 正座

肩の力を抜いて、背すじを正し、両手は腿の上におくこと！

両足の親指は、重ねる、もしくは揃えるようにし、かかとの上に腰をおろすこと！

　剣道は、相手を竹刀で打つという対人的（たいじんてき）な格闘技なので、決してひとりで修行することができないという性質を持っています。自分を高めてくれる稽古や試合の相手を尊重する気持ちが、剣道を学ぶ上では、もっとも大切なことなのです。この心を形として表したものが礼法です。まずは、ヒザを折って姿勢を正し、行儀正しく座る“正座”の正しい方法をしっかり覚えましょう！

座礼

　正座の姿勢でおじぎをすることを座礼といいます。正座の姿勢で相手に注目し、上体を前方に傾けながら両手を同時に床につけて頭を静かに下げます。その姿勢のまま、一呼吸くらい静止してから元の正座の姿勢に戻ります。床につけるときの手の

形は、下の写真のように、両手の人差し指と親指で三角形をつくるようにし、この三角形の中央に鼻先が向くようにおじぎをします。

立礼

　立った姿勢でおじぎする立礼は、相手に注目した後、自然に頭を下げ、その姿勢で一呼吸くらい静止してから静かに元の姿勢に戻ります。

　また、立礼には2つの作法があり、神前、上座、上席への立礼をする場合は、上体を30度傾けます。試合や稽古の相手に対しての場合は、上体を15度前傾させ、その間も相手の目に注目しておきます（目礼）。

礼30度

目礼15度

防具の名称と正しい着装

POINT ▶ 防具の正しい名称と着装をしっかり覚えよう！

 防具の名称

　剣道具（防具）は、面、小手、胴、垂という4つの部位に分かれています。また、これらには、それぞれの部位の詳細を表す名称がついており、剣道を学ぶ上で、これらを頭に入れておくことはとても重要です。しっかり覚えておきましょう！

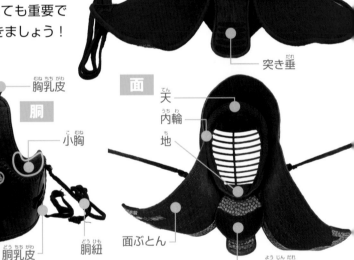

縦金
横金
面紐
物見
面乳皮

突き垂

面
天
内輪
地
面ぶとん
用心垂

胴胸
胸乳皮
胴
小胸
胴革
胴乳皮
胴紐

垂紐
前帯
垂
大垂
小垂

筒　小手ぶとん
けら
小手
小手紐
手の内

背中や腰の部分にふくらみができないようきちんと着る。

各部の紐はほどけないようにきつく結ぶこと！

正しい着装

　戦いの最中に、着衣の紐がほどけてしまったら、武士にとっては命取りです。剣道の試合や稽古においても、乱れのない正しい着装は必要不可欠です。自分の身体に合った剣道着、袴を正しく着装し、防具も垂、胴、手拭い、面、小手という正しい順序できちんと着装しましょう！

面紐の長さは結び目から40cm以内にする。

裾は後ろの方が前部より上の高さになる。

21

竹刀の名称と持ち方

POINT 竹刀は、剣道を志す者にとっては命ともいえる！

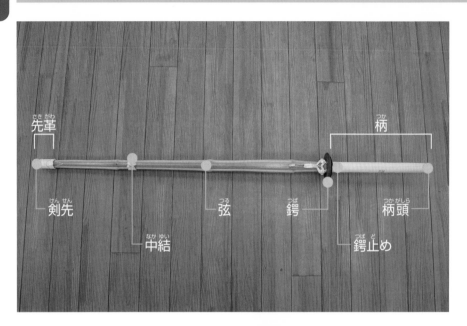

先革
柄
剣先
弦
鍔
柄頭
中結
鍔止め

竹刀の名称

　「刀は武士の命」といわれるように、竹刀も剣道家にとって大切なものです。竹刀には、「剣先」から「柄頭」に至るまで、各部に名称がついており、一本に必要な条件を満たすには、竹刀のどこで打ってもいいというわけではありません。これらの各部を知ることも剣道には必要不可欠なのです。また、幼少年期には、自分の身体に合った長さ、重さの竹刀を使用することも重要です。

Check 竹刀の打突部とは？

　一本を取るためには、中結から剣先までの刃の部分（弦の反対側）で打突する必要があります。とくに「物打ち」という、中結の少し先の部分にもっとも力が伝わるよう心がけることが大切です！

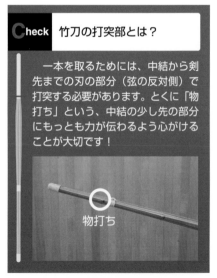

物打ち

●左手は小指半掛け！

　左手の握りは、小指が柄頭に半分かかるくらいがベスト。小指と薬指で柄頭を包み込むように強く握りましょう！

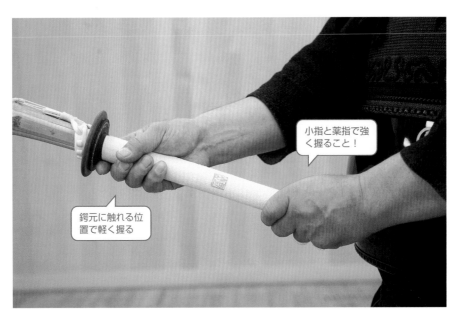

小指と薬指で強く握ること！

鍔元に触れる位置で軽く握る

🎍 竹刀の持ち方

　柄の長さは、ヒジの内側から測って人差し指が鍔に触れるくらいの長さがベストです。左の手のひらのくぼみに柄頭を置き、そのまま小指と薬指で強く握ります。中指と人差し指は軽く添える程度がよいでしょう。右手は、鍔元に人差し指が触れるくらいの位置で軽く握ります。柄の中央の縫い目が、左右ともに親指と人差し指の真ん中にくるように注意しながら、軽く握ります。

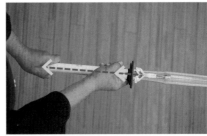

柄の長さの測り方

構え

POINT ▶ 構えは形だけでなく、「心構え」も大切！

相手の顔の中心に剣先を向け、力まずに構える。

相手を見据え、心構えを充実させておく！

🛡 正しい構えとは？

　通常、剣道の構えとは「身構え（姿勢や形）」のことをいいますが、相手に臨むときの「心構え」というものも含まれています。そのため、構えは心身ともに充実させることが大切。相手の顔の中心に剣先をつける「中段の構え」は、全て構えの基本です。必ずマスターしましょう！

●**剣道の構えには、5つの形がある！**

入門編 第1章 DVD

　上段、中段、下段、八相、脇構えとい
う剣道の5つの構え方のうち、基礎となる
中段が、攻防に一番有利とされています。

 足構えのポイント

　足は、まず自分の肩幅くらいに
開き、右足を左足のつま先のライ
ンに、かかとがくるように出しま
す。体重は両足に均等にかかるよ
うにし、力が身体の外側に逃げな
いように、常に親指側に力を入れ
ておきます。左足のかかとは軽く
上げ、常にその形を維持します。
右ヒザに軽くゆとりを持たせ、左
ヒザを張っておくと、瞬時に身体
を反応させることができます。

右足は左足のつま先のラインに！

親指に重心を置く

左手の高さは？

拳1つ分のスペース

　構えたときの左手は、親指の付け根の
関節が自分のヘソの高さで、胴から拳1
つ分離れた位置にきます。胴に左ヒジを
軽くつけると、自然と位置は決まりま
す。左手七分、右手三分の力で竹刀を支
えましょう！

Check　目付けとは？

　目付けとは、剣道のよい姿勢を保
つという意味合いとともに、相手の
動きをいち早く察知するための目の
働きのことを表します。相手の顔面
（とくに目）を中心に、身体全体を視
野に入れておくことが基本です！

足さばき・その1

POINT ▶ 常に腰で移動することを意識しよう！

 送り足 (おくりあし)

あらゆる方向の近距離において素早く移動する場合や、打突のときに使われる、剣道でもっとも一般的な足さばきです。まず、移動する方向の足を踏み出し、他方の足を素早く送り込むように引きつけるという方法で足をさばきます。

右足を前に出す

 開き足 (ひらきあし)

相手の身体をかわしながら、打突や防御する場合に使われる足さばきです。右に開く場合は、右足を右斜め前に出し、左足を引きつけて相手に向かいます。左に開く場合は、左足を左斜め前に出し、右足を引きつけて相手に対します。

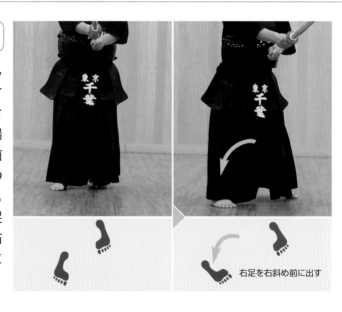

右足を右斜め前に出す

●基本はすり足！

腰の上下動をなくし、常にすり足で水平に移動しましょう。また、後ろ足のかかとが、床につかないように注意すること！

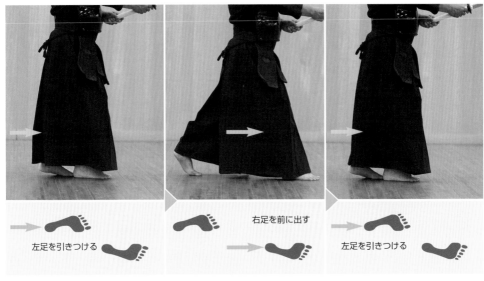

左足を引きつける　右足を前に出す　左足を引きつける

左足を引きつける　左足を左斜め後ろに出す　右足を引きつける

剣道の基本動作 **3**

足さばき・その2

POINT ▶ 局面に合わせて、適切な足さばきを使うこと！

歩み足

遠い距離を前後に素早く移動する場合の足さばきです。また、もっとも遠い間合いから打突の技を放っていくときにも用いられます。通常の歩行のように、右足、左足を交互に繰り出して、前進したり、後退したりする足さばきです。

右足を前に出す

継ぎ足

遠い間合いから打突をする場合の足さばきです。踏み出す距離を伸ばしたいときに、左足を右足の位置まで瞬時に引きつけることで、右足をより遠くに踏み出すことができます。しかし、左足を引きつける瞬間が隙となりやすく、注意が必要です。

左足を引きつける

● **継ぎ足を使用しない！**

一足一刀の間合いから打ち込むときは、継ぎ足を使わずに一足で打てるようにすることが上達のポイント！

左足を前に出す

右足を前に出す

左足を引きつける

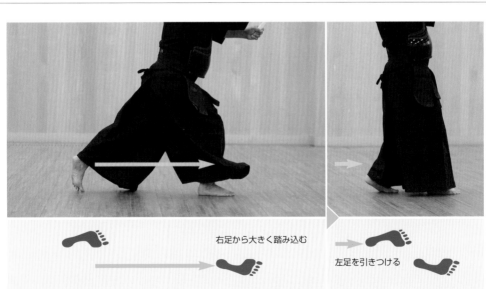

右足から大きく踏み込む

左足を引きつける

素振り・その1

POINT ▶ 打突の基本は、正しい素振りから！

 一挙動の場合。
中段に構えた状態から。

 大きく竹刀を振りかぶりながら、
右足を前に出す。

 左足を引きつけると同時に、一気
に竹刀を振り下ろして「メン！」

🔰 前進後退正面素振り

　素振りは、剣道の初歩として欠か
せない稽古です。身体の中心のライ
ンである正中線に沿った正しい軌
道、そして、正しい刃すじで打つと
いう基本的な動作の習得を目指しま
す。腕の力を抜いて頭上に大きく振
りかぶり、自分の身長と同じ高さの
相手を想定して空間を力強く打突し
ます。この動きに合わせて前進後退
をしますが、最初は三挙動で動きの
コツをつかむことから始めましょう。

軌道は正中線！

　正面打ちの場合、
竹刀の軌道が横に
ぶれずに、身体の
中心の線（正中線）
に沿っているかを
確認しましょう。
大きく振りかぶる
ときも、振り下ろ
すときも、常に両
拳が中心をはずれ
ないように意識す
るとよいでしょう。

●三挙動の素振り

　三挙動の場合、中段の構えで「イチ」、大きく振りかぶって「二」、前進しながら振り下ろすで「サン」となります。

4 大きく竹刀を振りかぶりながら、左足を後ろに引く。

5 右足を後ろに下げると同時に、竹刀を振り下ろして「メン！」

Check　**手首のスナップで剣先に力を伝える！**

　素振りでも、一本の条件に合う打ち方を意識することが大切。ここで重要なのが、手首のスナップです。打突の瞬間に手首のスナップを利かせて、正確に打ちきることがポイント。そのためには、腕が力み過ぎるとうまくいきません。竹刀を振り上げて打突する直前までは、竹刀を支える程度の力で十分。打突の瞬間にヒジを伸ばして腕の力を一気に緊張させます。力を抜いた状態から、瞬間的に力を入れることで、しなやかで鋭い打ちが可能となるのです。

素振り・その2

POINT 左右面打ち素振りの竹刀操作を正しく覚えよう！

45°

1 中段の構え。竹刀をまっすぐ振りかぶりながら、右足を前に踏み出す。

2 左足を引きつけながら、右斜め45度の軌道で竹刀を振り下ろす。

3 手首のスナップを利かせ、左面（左のこめかみ）を狙って打つ。

🛡 左右面打ち素振り

　まず、中段の構えから、まっすぐ竹刀を振りかぶり、左拳が正中線からはずれないように注意しながら、竹刀を右斜め45度に傾けます。そこから、相手のこめかみの位置を狙って、鋭く竹刀を振り下ろします。一本目を打ち終わったら、そのまま斜め45度の軌道を戻る形で再び振りかぶり、今度は左斜め45度の軌道で振り下ろします。これに前進後退を合わせながら反復します。

左拳は正中線をはずさない！

　左右それぞれ斜め45度の軌道で竹刀を振り下ろしますが、常に左拳は、正中線からはずさないように注意しましょう。左右の腕の力を、均等に使い、正しい刃すじで、正確に打つことが、一本を取るための大切な条件なのです！

●こめかみを狙うつもりで打つ!

　左右面の素振りは、自分と同じ身長の相手を想定し、手首を柔らかく使いながら、こめかみを狙って振り下ろします!

45°

 4 3の軌道を戻る形で竹刀を振りかぶりながら、左足を後方へ下げる。

 5 右足を引きながら、左斜め45度の軌道で竹刀を振り下ろす。

 6 手首のスナップを利かせ、右面(右のこめかみ)を狙って打つ。

🗡 開き足での左右素振り

　前進後退以外にも、開き足を使って、身体を左右にさばきながら、竹刀を振り下ろす左右素振りも覚えましょう!

 身体を右にさばきながら、右斜め45度で竹刀を振り下ろす。

身体を左にさばきながら、左斜め45度で竹刀を振り下ろす。

素振り・その3

POINT ▶ 動作を省略せずに、竹刀を大きく正確に振る！

 中段の構えから、右足を蹴って左足から後退。同時に竹刀を振りかぶる。

 左足の鋭い蹴りによって、右足から前進。同時に竹刀を振り下ろす。

 左足を引きつけながら、手首のスナップを利かせて、正面を打つ。

跳躍早素振り
（ちょうやくはやすぶり）

　通常の空間打突の素振りに、跳躍の動作をつけて素早く行う素振りを跳躍早素振りといいます。竹刀を振る上半身の動きと、下半身の跳躍動作のバランスを訓練することによって、いかなる局面でも竹刀を正しく打ち込む技術を身につけます。右足の蹴りで左足から1歩後退した際に竹刀を振りかぶり、左足の蹴りで右足から1歩前進した際に正面を打つという動作を、素早く反復します。

両足同時ジャンプはNG！

　跳躍動作の足さばきは、前に踏み込む場合は、左足の鋭い蹴りによって右足から跳び、瞬時に左足を引きつけます。後退するときは、右足の蹴りで左足から下がり、右足を引きつけます。両足で同時にジャンプすることがないように注意しましょう！

NG!

●上下動をさせない！

　前後に跳躍するときは、上に跳ぶのではなく、腰を水平移動させる感覚で、なるべく上下動がないよう行いましょう！

 再び左足から後退しながら、竹刀を振りかぶる。

5 前進するときは、できるだけ大きく踏み込むことを心がける。

Check **一本一本しっかり打つこと！**

　スピードに気を取られて、打ち込んだときに、中途半端な打ち方にならないように注意しましょう。前進したときに、右ヒザや腰を曲げすぎたり、上体が前傾してしまってはいけません。また、右手に力が入りすぎて、打ち込んだときに剣先が立ってしまうということも多くみられます。決してそういうことがないように、一本一本に気持ちを込めながら、正しい姿勢を保ち、しっかりと正確な打ち方を心がけましょう！

NG!

剣先が立っている！

KENDO Perfect Master

間合い

一足一刀の間合い

🗡 間合いとは？

　剣道では、自分と相手との距離を間合いといいます。間合いは、一歩踏み込めば打突できる距離「一足一刀の間合い」を基本に、それより遠い距離は「遠間」、近ければ「近間」という3つの間合いに分類されています。剣道における間合いは、攻防のカギを握る重要な要素であり、個人の体格や身体能力によって、違いが生じます。まずは、自分の間合いを理解することが重要です。

🗡 一足一刀の間合い

　剣道の基本的な間合いで、1歩踏み込めば、相手を打突できる距離のことをいいます。また、相手が1歩下がれば、打突がかわされる距離でもあります。一般的に、中段に構えた互いの剣先が、約10cmほど交わる距離とされていますが、それは、体格や身体能力によって変化します。稽古のときは、この間合いから、一足で打ち込むように意識し、その距離を伸ばしていく努力も重要です。

●**間合いは、自分に近く、相手に遠く！**

　できるだけ遠くから打ち込めるように努力すれば、自分は打てるが相手は打てないという有利な間合いを生み出します。

遠間

　一足一刀の間合いよりも、遠い距離のことをいいます。この間合いでは、相手の打突が届くことはありませんが、逆に自分の打突も届かない距離であることを意味します。そのため、打ち込むためには、間合いをつめる必要があります。また、遠間から打ち気を見せて、相手の反応を見極めることも大切です。

近間

　一足一刀の間合いよりも、近い距離のことをいいます。近間は、自分の打突が簡単に届く距離ですが、逆に相手の打突も届くという危険性を含んだ間合いといえます。剣先で正中線を制し、相手のわずかな隙に、瞬時に反応できる態勢を作っておく必要があります。

気・剣・体の一致

POINT ▶ 打って当たっただけでは、一本にはならない！

🏯 一本に必要な条件

　剣道における有効打突の条件は、「充実した気勢、適正な姿勢をもって、竹刀の打突部で打突部位を刃すじ正しく打突し、残心あるものとする」と規定されています。このことは、一般的に「気・剣・体の一致した打突」といわれています。

気

　「気」とは、気迫や気勢のことを表します。相手との攻防の中で生じる瞬間的な打突において、その打突意志をはっきりと表現する充実した気勢や掛け声があるかが重要！

「体」とは、体さばきのことを表します。腰の入った正しい姿勢、力強い踏み込みなど、打突のときの体勢が崩れていないことが大切。また、打ち終わった後の体勢も含まれます。

体

剣

「剣」とは、正しい竹刀操作を表します。相手の打突部を物打ちで刃すじ正しく打っているか、十分な強さと速さで打っているか、真剣であれば斬れているという状態をいいます。

Check　残心も忘れずに

たとえ「気・剣・体の一致した打突」が決まったとしても、残心がなければ一本は取り消されてしまうこともあります。打ち終わった後に転倒したり、油断して正しい残心を怠ったりすることのないように注意しましょう！（残心の正しい方法については、本書60〜61ページを参照）

剣道の基本要素 3

打突部位

🏯 中段の場合の打突部位

　中段の構えにおける打突部位は、面、突き（高校生以上）、右小手、左右胴の計5カ所。面は、左右のこめかみの部分から上の範囲が有効部位となります。これらを竹刀の物打ちで刃すじ正しく狙っていきます。

面の有効部位は？

　「面」の有効とされる打突部位は、右面から正面、さらに左面に至る範囲です。この部分を物打ちで正しく打突することが求められます。また、左右面に関しては、左右それぞれ斜め45度の角度で刃すじを立てることが必要です。

正面・右面・左面

○ 突き

右小手

右胴

左胴

東京

林

右小手

正面・右面・左面

左小手

突き

右胴

左胴

東京 林

上段の場合の打突部位

　竹刀を頭上に構える上段の場合、中段の場合の打突部位に加え、左小手も有効となります。いずれにしても、刃すじ正しく狙いましょう。

小手の有効部位は？

　「小手」の有効と認められる打突部位は、筒と呼ばれる部分です。小手頭を打っても有効と見なされないので要注意！

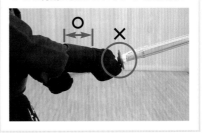

胴の有効部位は？

　「胴」の有効とされる部位は、右胴と左胴の部分です。左右斜め45度の刃すじで打ちます。正面の腹部は無効です。

生涯最高の一戦

数々の名勝負を繰り広げてきた剣豪・千葉仁！
その中でも生涯最高の一戦として脳裏に浮かぶのは……!?

第20回全日本選手権・決勝

　私が生涯最高の試合として印象に残っているのは、昭和47年に行われた第20回全日本選手権大会の決勝です。相手は、高知県代表の川添哲夫（当時四段）君。当時の川添君は、前年に全日本で優勝していましたし、私自身もそのときの東京都予選で彼に負けていましたから、とにかく勢いがありましてね。しかも、彼が勝てば史上初の連覇、私が勝てば史上初の3回目の優勝という記録も賭けた戦いだったんです。私も彼も"上段の選手"だったので、相上段の試合だったんですが、彼は僕よりもだいぶ身長が高く、剣も柔らかいし、勝負勘も素晴らしい選手。リーチに差がありましたから、私が届くと思った打ちも10〜15cm手前のところで抜かれてしまうし、こっちが彼の打ちを抜こうとすると、ギリギリのところで身体に当たってしまい、危ない場面の連続でした。

30分以上の死闘の末……

　10分間の試合時間が過ぎ、3分刻みの延長戦も7〜8回やっていたので、30分以上は戦っていたと思います。

　私はなんとか粘ってやろうといろいろ作戦を変えて挑むものの、やはり距離感で圧倒的に不利な状況は変わりません。一瞬、もう勝てないなという思いが脳裏に浮かびました。しかし、そこで私は「警視庁の千葉が、退いて負けたら末代までの恥。どうせ負けるなら前に出て負けてしまえ」と開き直ったんです。思いきって打間に攻め入ると、これまで決して構えを崩さなかった川添君が、なんと手を下げたんです。私は、そのまま吸い込まれるように面を打ち、それが見事に決まりました。このときの私は、面を打とうと思って打ったのではなく、自分でもどうやって決まったのかわかりませんでした。試合後、川添君に「あのときどうした？」と聞いたんですが、彼もわからないと答えました。

　偉大な先生方が、無心、無欲、無我などとよくいいますが、これが"無心の打ち"なのではないかとこのとき初めて感じました。勝ちたいとか、打ってやろうという欲が消え、"負けてやれ"という捨て身の心から生まれた"無心の一本"。再現しようとしても、もう二度とあのような打ち方はできないでしょうね。

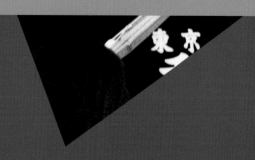

第**2**章 基本的な技術を
マスターしよう！

BASIC TECHNIQUE

INTRODUCTION 2

打突の基本を学ぶ！

基本的な動作を覚えたら、
今度は実際に竹刀で打ってみよう！
ゆっくりと、大きく、正確に打つこと！

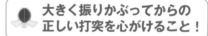
実際に相手を竹刀で打つ 打突の基本を身につける！

　第1章では、剣道の構えや素振り を学びましたが、今度は実際に相手 を竹刀で打つ基本的な技術を覚えま しょう。素振りのときと同様に、体 さばきや竹刀操作、手の内（竹刀の 握り、手や指の力のいれ具合などを 総称する剣道用語）に注意しなが ら、正しい姿勢、正しい刃すじで打 つことを目標に練習していきます。 正面打ちや、小手、胴の打ち方はも ちろん、この章では、剣道の一般的 な稽古である「切り返し」の習得ま

でを目標にがんばってみましょう！ また、「体当たり」や「残心」とい った剣道に必要な基礎動作も順番に 解説していきます。

大きく振りかぶってからの 正しい打突を心がけること！

　まずは、正面打ち、小手打ち、胴 打ち、突きの基本を覚えましょう。 一足一刀の間合いから、竹刀を大き く振りかぶり、右足を思い切って踏 み込んで相手に打ち込む動作のコツ をつかみます。正中線をはずさずに、 まっすぐ打てているか？　腰が入っ

ているか？　手の内は正しいか？
物打ちで刃すじ正しく打てている
か？　足さばき、体さばきが正しく
行われているか？　これらのことに
注意しながら、「ゆっくり、大きく、
正確に」打つことを優先して基本の
打ち方をマスターしましょう！

●正面打ち→46〜47ページ
●小手打ち→48〜49ページ
●胴打ち→50〜51ページ
●突き→52〜53ページ

剣道の一般的な稽古「切り返し」
のポイントをマスターしよう！

　剣道では、ウォーミングアップな
どで、広く一般的に行われている稽
古が「切り返し（打ち返し）」です。
左右面を連続して打ち込んでいく
「切り返し」をマスターするため、

まずは、左右面の打ち方を学びま
す。これを体得した後に、「切り返
し」のポイントを詳しく解説してい
きます。正しい方法で行えるよう
に、しっかりと練習しましょう！

●左右面打ち→54〜55ページ
●切り返し→56〜57ページ

剣道の基礎的な動作も
きちんと覚えておこう！

　攻防の中では必須の「体当たり」
や、一本の条件にも含まれる「残心」
といった基礎動作も覚えましょう！

●体当たり→58〜59ページ
●残心→60〜61ページ

基本技術 **1**

正面打ち

Shomen uchi

 POINT 基本中の基本である正面打ちを正しく覚える！

1 中段の構え。一足一刀の間合い。

2 左足を蹴って右足から1歩踏み込む。
同時に竹刀を頭上にまっすぐ振りかぶる。

✕ **まずは、ゆっくりと
正確な打ちを心がけよう！**

　正面打ちは、全ての技の基本とな
る重要な技術です。まず、中段の構
えから、竹刀をまっすぐ頭上に振り
かぶります。それと同時に、左足の
鋭い蹴りを推進力にして右足を大き
く踏み込みます。振り下ろした竹刀
が相手の正面を捉えると同時に、右
足が着床するタイミングが重要で
す。このとき、瞬時に左足を引きつ
けて、元の正しい足構えの位置に戻
るよう心がけましょう。

 一足一刀の間合いから打つ

　慣れるまでは、近間から打ってもいい
ですが、できるだけ一足一刀の間合いか
ら、一足で打てるように練習しましょう。
また、踏み込むときは、継ぎ足や、左足
を残す「ずり足」、上に跳ね上げる「跳
ね足」にならないよう注意すること！

●正しい刃すじで打つ！

　「物打ち」の正しい部位で打つことは、とても大切です。相手の面を正しい刃すじで打てているか確認しましょう！

3 右足の着床と同時に、竹刀が相手の正面を捉えるタイミングで竹刀を振り下ろす。

4 面を打つ瞬間に、大きく「メン！」と発声。瞬時に左足を引きつけ、元の足構えに戻す。

腰を水平に移動させる気持ちで！

　右足を踏み込む際に、上に跳んではいけません。できるだけ上下動をなくし、腰を水平に移動させるような感覚で、前に踏み込みます。また、身体を前傾させたり、アゴを上げたりせず、正しい姿勢で打てるように心がけましょう！

Check　しっかり正中線を捉える！

　中段の構えから竹刀を振りかぶり、振り下ろすまで、両拳、剣先ともに正中線からはずれないように注意しましょう。また、打つポイントも相手の正中線を狙います。右手に力を入れすぎないように打つこと！

小手打ち

Kote uchi

POINT 手先だけでなく、身体全体で打ち込むこと！

 中段の構え。一足一刀の間合い。

 竹刀を振りかぶりながら、
左足を蹴って右足を1歩前に踏み込む。

 刃すじに注意しながら、手首のスナップを利かせて打つ！

　小手打ちは、相手の右小手の筒部を狙って打ちます。中段の構えから、竹刀を振りかぶり、同時に左足を蹴って右足から前に踏み込みます。右足の着床と同時に竹刀が小手を捉えるように竹刀を鋭く振り下ろし、手首のスナップを利かせて小手を打ちます。すかさず左足を引きつけ、元の足構えの形に戻します。手先だけでなく、腰の入った正しい姿勢で打つことを心がけましょう！

 一足一刀の間合いから正しい刃すじで打つ！

　一足一刀の間合いから、継ぎ足などを使わずに一足で打つことを心がけましょう。また、正中線をきちんと捉え、刃すじ正しく打ち込むことが重要です。相手の小手に対して、竹刀が水平になるくらい手首を柔らかく使って打ちましょう！

基本的な技術を
マスターしよう！
第2章
DVD

●右手を柔らかく使う

右手に力が入っていると、正しい打ちが難しくなります。ムチのようなしなやかさと鋭さをイメージして行いましょう！

3 竹刀を振り下ろし、右足が着床すると同時に、手首のスナップを利かせて小手を打つ。

4 3と同時に「コテ！」と大きく発声し、瞬時に左足を引きつけ元の足構えに戻す。

正しい姿勢で打ち込む！

小手を打つときは、手先だけで打ってはいけません。しっかり右足を踏み込んで、背すじを伸ばし、腰の入った正しい姿勢で打つことが重要です。また、相手の竹刀を避けるために、身体を左斜めに傾けたりしないように注意しましょう！

Check 相手の目を見て行う！

小手を打つことに意識が集中し過ぎるあまり、相手の小手に視線がいってしまうと、自分の動作を相手に悟られてしまいます。常に相手の目を中心に全体を見つめ、こちらの出方を読まれないようにしましょう！

NG!

小手を見てはダメ！

基本技術 3

胴打ち

Do uchi

POINT 左拳は正中線からはずさずに刃すじ正しく打つ！

 中段の構え。一足一刀の間合い。

 竹刀を頭上に振りかぶりながら、
左足を蹴って右足を前に踏み込む。

胴打ちは姿勢を崩さずに打つことを心がけよう！

　胴打ちは、竹刀を大きく振りかぶり、左斜め45度に剣先を傾けて、そこから相手の右胴を狙います。竹刀の振り下ろしと同時に、左足の蹴りを推進力に右足を前方に踏み込み、腰の入った正しい姿勢で刃すじに注意しながら打つことが重要です。また、このとき、左拳は正中線からはずれないようにし、右手首の柔らかい返しによって、竹刀をコントロールすることを心がけましょう。

左拳は腰の高さ

　胴を打った瞬間の左拳の高さは、自分の腰の高さとなるように意識します。また、左斜め45度の軌道で打つことも大切です。真横の軌道から打ったり、鎬（しのぎ）（竹刀の横部）で胴を捉える間違った刃すじで打つことのないよう注意しましょう！

●左拳は正中線！

竹刀を振りかぶり、左斜め45度に剣先を返すときも、左拳が正中線からはずれないように注意しましょう！

 右足の踏み込みと同時に、左斜め45度の軌道で竹刀を振り下ろす。

やや腰を落としながら、相手の右胴を刃すじ正しく打つ。「ドウ！」

Check **背すじを伸ばして打つこと！**

初心者のうちは、胴を打つことに意識が集中するあまり、身体をねじまげたり、腰の引けた打ち方になってしまうことが多く見られます。剣道では、決してこのような打ち方は好ましくありません。相手に隙を与えないよう、常に正しい姿勢を維持することが大切です。背すじや、首すじをまっすぐ伸ばして打つために、踏み込んだ際は、ヒザを少し曲げてゆとりを持たせながら、やや腰を落とす気持ちを持つとよいでしょう。

突き

Tsuki

POINT 身体全体で突くというイメージを持つこと！

1 中段の構え。一足一刀の間合い。

2 左足を蹴って、右足を前方に鋭く踏み込む。

**両手首を内側にしぼる感覚で
しっかり腰を入れて突く！**

　突きは、対人的技能として重要ではありますが、できるだけ他の基本技をしっかり体得してから学ぶようにしましょう。中段の構えから、右足を踏み込んで、両拳を内側にしぼりながら、相手のノドの部分を突きます。「諸手突き」と「片手突き」という2通りの方法がありますが、基本は両手で突く「諸手突き」です。こちらをしっかり学んだ上で、「片手突き」を行うようにしましょう。

身体全体で突く！

　腰を引いた姿勢から腕だけで突いても、一本とは認められません。右足を鋭く踏み込んで、腰の入った正しい姿勢で突くことが重要です。腰の移動によって、身体全体で突くというイメージを持って行うとよいでしょう！

NG!

腰が入っていない！

●試合では高校生以上から！

　「突き」が、試合で有効と認められるのは、高校生以上になってからです。このことを考慮して稽古に臨みましょう！

3 腰の入った姿勢で、両手首を内側にしぼりながら、腕を伸ばして相手のノドを突く。

4 素早く左足を引きつける。

Check 左拳が上がらないよう注意！

　突いた瞬間に、左拳が右拳より上に上がってしまうのは、両手首が外側に開いているという、「手の内」が正しくない証拠。両手首を内側にしぼるようにしっかりと腕を伸ばして突くことを心がけましょう！

NG!

突き終わったらすぐに残心

　突いた後は、突きっぱなしにしてはいけません。すぐさま中段に構えて、残心の姿勢をとるように心がけましょう。また、中段に構える間合いがないときは、剣先を相手のノドに向け、反撃にも素早く対応できる姿勢をとりましょう！

左右面打ち

Sayumen uchi

POINT 右手だけに力を入れ過ぎないように注意！

 中段の構え。一足一刀の間合い。
相手の左面を打つ場合。

 竹刀をまっすぐ振りかぶりながら、
左足を蹴って右足を前方に踏み込む。

✕ 相手のこめかみを狙って 刃すじ正しく打つこと！

　相手の右面、左面をそれぞれ斜め45度の軌道で打ち込んでいきます。相手の左面を打つ場合、竹刀をまっすぐ頭上に振りかぶり、剣先を右斜め45度の角度に向け、右足を踏み込みながら竹刀を振り下ろします。右足の着床と同時に、相手の左こめかみを斜めに斬るつもりで、刃すじ正しく左面を打ちます。このとき、左拳が正中線からはずれないように注意しましょう。

🥋 左右五分の力で打つ！

　初心者のうちは、竹刀をコントロールすることに気を取られ、右手だけに力を入れ過ぎるという「右手打ち」になることが多く見られます。基本的には、打ちの強さを生み出すのが左手、竹刀の方向を操るのが右手と考え、左右均等の力で打てるように心がけましょう！

●手首のスナップが大切！

　右手首はとくに柔らかく使いましょう。右手に力が入って固くなってしまうと、逆に鋭くキレのある打ちができないのです！

3 2から素早く剣先を右斜め45度に回し、竹刀を振り下ろす。

4 右足の着床と同時に、相手の左面を打つ。「メン！」。左足を瞬時に引きつける。

Check 左拳を正中線からはずさず、斜め45度に！

　左右面は、相手のこめかみを斜めに斬るつもりで打つということが基本です。そのため、正しい刃すじで打つためには、きちんと斜め45度の軌道に沿って打つことが重要となります。しかも、このとき、竹刀を振りかぶり、振り下ろす過程においても、終始、左拳が正中線からはずれないということがポイント。これがずれてしまうと、こめかみから狙いがはずれてしまったり、「右手打ち」になってしまったり、正確な打ちができなくなってしまいます。鏡を見ながら、自分の打ち方を確認してみましょう！

45°

切り返し（打ち返し） Kirikaeshi

POINT できるだけ一呼吸で行うよう心がける！

正面打ち

正面打ちまで
息を切らない

最後に下がって
間合いをとる

正面打ち

✕ **切り返しは、剣道には
欠かせない大切な稽古法！**

　切り返しは、正面打ちと連続左右面を組み合わせた、剣道には欠かせない総合的な基本稽古です。構えや姿勢、打ち、足さばき、間合いの取り方、呼吸法の習得のほか、持久力や旺盛（おうせい）な気力を養う（やしな）ことを目的としています。正面打ちから始まり、連続左右面で4歩前進、5歩後退した後、一足一刀の間合いからの正面打ちで終わります。このとき、なるべく一呼吸で行うことが大切です。

**相手のこめかみを
狙って打つ**

　連続左右面は、自分の打ちを相手が竹刀で受けますが、このときも打つ側の人は、相手のこめかみを狙って打ちます。左右斜め45度の軌道で、相手の受けた箇所からその軌道の延長線が、ちょうどこめかみを捉えるように打っていきます。

● 「元打ち」にならないよう注意！

切り返しのときも、常に「物打ち」で
打つことを心がけ、中結より手元で打つ
「元打ち」にならないよう注意すること！

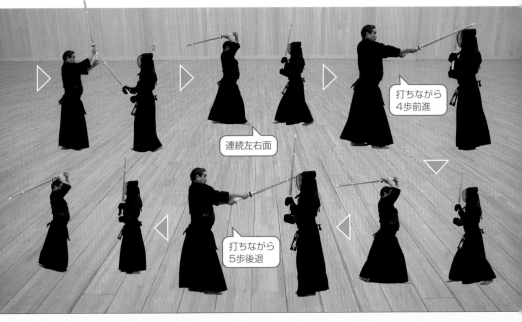

打ちながら
4歩前進

連続左右面

打ちながら
5歩後退

!! 一呼吸で行うことを
心がける！

　切り返しは、持久力と気力を養うため
にも、息の続く限り一呼吸で行うことが
大切です。また、息を継ぐ場合でも、連
続左右面の打ち終わりから、一足一刀の
間合い、正面打ちという最後の流れの間
は、息継ぎをしないよう注意しましょう！

Check　切り返しの受け方

　切り返しを受けるときは、中段の
構えから左拳を下腹に当てる感覚で
竹刀を垂直に立てます。腰の右端か
ら左端の範囲で左拳を水平に移動さ
せながら受けます。打つ側と違い、前
進後退の移動は、歩み足で行います。

体当たり

Taiatari

POINT 打突後の余勢を利用し、相手の体勢を崩す！

下腹を突き上げ、身体全体でぶつかっていく。

✕ **体当たりも攻撃の機会を生み出す重要な技術！**

剣道では、打突の余勢を利用し、身体をぶつけて相手の体勢を崩すという「体当たり」も重要な技術です。左拳を下腹に当て、腰を中心に身体全体で相手にぶつかっていくような気持ちで、下から突き上げます。相手が崩れたら、すかさず適切な技を繰り出していきます。

●体当たりと打突は一連の動作で！

　体当たりは、瞬間的に相手を崩す技術です。前後の技を一連の動作で素早く行うことができるよう心がけましょう！

 下腹でぶつかっていく！

　相手に身体をぶつけるときは、下腹に力を入れて、下から突き上げるように行いましょう。手先だけで行ってしまうと、相手を崩すという効果は生じません。また、その直後に、瞬時に技を繰り出すことができる体勢を維持するためにも、腰で移動することは重要です。下腹でぶつかっていく気持ちを持ちましょう。

 頭を下げない！

　頭を下げてしまうと、自然と腰が引けた状態を生み出してしまいます。このことは、体当たりの効果を消してしまうだけでなく、もし、相手にかわされてしまった場合、自分の体勢が崩れてしまう危険を招いてしまいます。また、瞬時に技を出すことにも、悪影響を与えるので決して頭を下げないようにしましょう！

Check　手で押すのはNG

　手で押そうとすればするほど身体の力が伝わりにくくなります。腕が打突の余勢を和らげるクッションとなってしまうからです。また、相手の押し返しを受けやすく、逆に体勢を崩されることもあります。腕が伸びていると、次の技も出せません！

残心

Zanshin

POINT 打突の後も、油断せず相手の反撃に備える！

打突で踏み込む。

打突した勢いのまま相手の脇を抜ける。

相手に近い方から素早く振り返る！

常に相手から目を離さず、すぐに中段に構える！

一本の条件を満たすには残心も忘れてはいけない！

　残心とは、打突をした後でも油断せず、相手の反撃にすぐさま対応できるような心構えと身構えを示しておくことをいいます。剣道では、どんなに確実な打突であっても、残心のない打突は、一本として認められません。稽古のときから、常に残心をとる習慣をつけておきましょう！

●相手から目を離さない！

　相手の横を抜けるときも、常に相手から目を離してはいけません。ムダに遠くまで抜けず、すぐさま振り返ること！

 相手の反撃に対応できるよう心がける！

　真剣での戦いならば、斬った直後に、相手が反撃できないほどの致命傷を負ったのか判断することはできません。常に相手の反撃に備えるという姿勢は、武士にとっては命に関わることなのです。それと同様に、剣道では確実に打突した後も、油断せずに残心をとって初めて完全な一本になると考えられています。

中段に素早く構える

　打突後の残心は、相手に一瞬の隙も与えないように、素早く中段に構えることが重要です。打突後に、相手の身体の脇を抜けて振り返るときも、相手に近い方から回る習慣をつけるようにしましょう。相手の（相手から見て）左を抜けたら左回り、相手の右を抜けたら右回りで、右足を軸に効率よく身体をさばきます。

Check　剣先を相手の顔の中心部につける

　残心のときは、素早く中段に構えますが、常に剣先は相手の顔の中心部に向けておきます。中段に構える間合いが足りない場合も、相手の顔の中心に剣先を向けることで、どんな反撃にも対応する身構えと心構えがあることを示します。

KENDO COLUMN 2 ─────

試合前のメンタル・コントロール

試合に臨(のぞ)む前は、誰でも緊張してしまうもの！
いかに精神をコントロールするかが勝敗のポイントだ！

試合3日前に腹を決める！

　試合前は、勝ちたいという気持ちが強いほど、あれこれと考え込んでしまうものです。私の場合、少年の頃は気持ちの作り方について深く考える機会は少なかったのですが、大人になってからいろいろと考えることが多くなりました。試合の1ヵ月前までは、自分の技を磨(みが)くことに集中できるのですが、試合の7〜10日前になると、組み合わせも決まってくるので、あれこれと試行錯誤(しこうさくご)が始まります。「あの人は苦手だな。こう攻められたらイヤだな」といったマイナスのイメージが浮かび始めるのです。しかし、このままの気持ちで勝てるわけがありません。そこで、3日前くらいになると、私はこう考えることにしています。「自分は相手を嫌がっているけども、相手も自分を苦手に思っているはずだ」このように考えることで、積極的な気持ちを作っていくのです。そして、試合当日までの2〜3日間は、やり残しがないように過ごします。試合用の竹刀を点検したり、当日使用する稽古着や手拭いなども準備を万全にして、相手に対する集中力をそがれないようにするのです。

🎌 ゆっくり息を吐くこと！

　試合当日の朝は、試合時間にピークを迎えられるように余裕を持って起床し、人よりも先に試合会場に入るなどして、自分なりの縁起(えんぎ)を担(かつ)いでいます。その後、会場に到着すると、その場は独特の緊張感に包まれているものです。心が動揺したときは、ゆっくりと息を吐(は)いて心を落ち着かせます。待ち時間は、じっとせず、身体を軽く動かしながら集中力を高めます。また、時にはトイレで鏡の中の自分に向かって気合いを入れることもあります。出番の2試合前になったら面をつけ、ゆっくり息を吐きながら、胴紐や面紐などをしっかり結んで準備を万全にします。そして、いよいよ自分の出番となったら、あとは「ああ攻めよう、面で勝負しよう」などといった細かいこだわりは捨ててしまいます。ここまでくると、負けてしまえば、それは稽古不足でしかないのです。場内に足を踏み入れたら、相手と呼吸を合わせ、"礼法をきちんとやる"ことに集中します。「始め！」がかかれば、あとは無我夢中です。

実戦の技を磨く！

APPLIED TECHNIQUE

INTRODUCTION 3

実戦の技は
速く、強く、正確に！

実戦では、一瞬の隙を捉えることが大切！
相手の動きに瞬時に反応するスピード、
そして、力強く、正確な打突が要求される！

正しい基本の打突を踏まえ、実戦的な技術を身につける！

　剣道は、お互いに相手の動きに応じて攻防し合う対人的な格闘技です。実戦においては、相手の隙を捉えるため、あらゆる変化に瞬時に対応しなければなりません。攻防の中で生じる一瞬の隙を捉えるには、打突の正確性だけでなく、さらにスピードと力強さが要求されます。この章では、前章で学んだ基本技術を踏まえた上で、「速く、強く、正確に」打突することを優先した実戦的な技術を学んでいきましょう！

「攻め」によって相手を崩し、打突の機会を瞬時に捉える！

　剣道は、「攻めて打つ」ということが重要です。「攻める」とは、むやみに打ち込んでいくことではなく、自分の働きかけによって、相手が意識して何らかの変化や反応を示すことをいいます。「攻め」によって生じた相手の隙を、素早く捉えて打ち込むことが、実戦的な稽古においては、もっとも重要なことなのです。まず、「攻め」の基本となる「間合いの攻防」を理解しましょう！

●間合いの攻防→66〜67ページ

実戦の技を磨く！

第3章

自分から仕掛けていく技で「攻めて打つ」コツをつかむ！

　自分の攻めに対して、相手の剣先が動いたり、竹刀を払って構えを崩したり、意表をついたりしながら、自ら仕掛けていく技を学ぶことで、「攻めて打つ」というコツをつかんでいきます。面、小手、胴という打ち込む箇所ごとに分類し、さらに引き技のポイントなどを順番に解説していきます。ただ単純に打突するのではなく、「攻め」による「崩し」を意識しながら稽古しましょう！

●仕掛け技→68〜93ページ

相手の攻撃に対し、瞬時に反応して技を繰り出す！

　剣道では、相手の攻撃をすり上げたり、打ち落とすなどして相手

の打突を無効にして反撃に出る技を「応じる技」といいます。これを相手が攻撃してくる箇所ごとに分類し、順番に解説していきます。また、相手の攻撃の「起こり」を打つ「出ばな技」も本書ではあえて「応じる技」として紹介しています。「応じる技」は、待つのではなく、自分から攻めて相手を迎えにいく気持ちをもって臨みましょう。さらに、応用技術として、捲き技やかつぎ技、片手技なども紹介します。

●応じる技→94〜119ページ
●応用技術→120〜125ページ

間合いの攻防

> **POINT** 基本的な3つの「攻め」を理解しよう！

🗡 間合いの攻防とは？

　互いに中段の構えで相対したとき、相手の剣先を押さえたり、払ったり、表や裏（自分から見て、相手の竹刀の右側に自分の竹刀がある場合を表、左側にある場合を裏という）を入れ替えたりし、自分が優位になるための攻防を「間合いの攻防」といいます。剣先で相手の中心を取ることが基本であり、また、打ち気を見せることで、相手の反応や癖を見極めて打突の機会を窺います。

Check　自分の打間を知る！

　打突可能な間合いには、個人差があります。自分にとっての打間を知ることは、相手を攻める上でとても大切なことです。また、打間に入れば、相手は必ず反応するので、そこで生じた隙を捉えることも重要です。

●剣道における基本的な3つの攻めとは？

　剣道の攻めには、大きく分けると「気（気位）による攻め」「剣先による攻め」「技による攻め」の3通りがあります。

実戦の技を磨く！ 第3章

DVD

気（気位）による攻め

　燃えるような激しい気迫によって、相手の打ち気を封じたり、常に先手を攻め続けたり、体当たりで打ち気をそぐようなことが、初歩的な「気による攻め」です。それが、高度に熟達してくると、内面からあふれ出る「気位」によって、相手を萎縮（いしゅく）させて技を封じてしまう「気位による攻め」が可能となります。

剣先による攻め

　互いに中段の構えで相対したとき、相手の剣先を中心からそらさないと打突する機会が生じません。そこで、相手の竹刀に触れたり、押さえたり、払ったりして、相手の剣先を中心からはずします。この攻めによって、相手が手元を上げたり、剣先を中心に押し返すなどの隙が生じ、打突の機会を生み出すのです。

技による攻め

　「技による攻め」とは、自分から積極的に技を仕掛けたり、相手が狙っている技をあえて先に仕掛けたり、相手の得意技を逆に仕掛けるなどして、相手の心に動揺を抱かせることをいいます。気持ちが動揺すれば、必ず迷いや隙が生じ、自分に優位な打突の機会を作ることができます。常に「先」（せん）を意識することが大切！

67

一本打ち・面　Ipponuchi Men

POINT 手首のスナップを利かせて素早く打つ！

 中段の構え。一足一刀の間合いから、自分の打間に1歩攻め入る。

 相手の剣先が下がった瞬間を狙い、左足を蹴って右足を前に踏み込む。

手首のスナップだけで鋭く、弾むように打つ！

　基本の正面打ちでは、竹刀を頭上に振りかぶってから面を打ちましたが、実戦では振りかぶらずに手首のスナップだけで打っていきます。中段の構えから、自分の打間に1歩攻め入り、そこから左足を蹴って右足を前方に鋭く踏み込みます。下半身の踏み込みに合わせ、右手首のスナップを利かせて面を弾むように打つことがポイントです。竹刀を強く握りすぎない手の内を覚えましょう。

左足でしっかり蹴って踏み込む

　踏み込む際は、左足をしっかり蹴り、その推進力で右足から前に出ます。この左足の蹴りが足りないと、右ヒザだけが高く上がり、上にぶれが生じてしまいます。左足をしっかり蹴れば、とくに意識しなくても上にぶれずに踏み込めるのです。

●相手に身体をぶつけるつもりで！

　面打ちで踏み込むときは、相手に身体をぶつけていくつもりで、思い切って正面に踏み込みましょう！

実戦の技を磨く！
第3章
DVD

 3 右足の着床と同時に、手首のスナップを利かせて、弾むように面を打つ。

4 相手に身体をぶつけていくつもりで、正面にまっすぐ踏み込むこと。

手首のスナップだけで打つ

　実戦での打ち方は、手首のスナップだけで打つというイメージを持ちましょう。しっかり両ヒジを伸ばして、力を抜き、竹刀が面に当たる瞬間だけ腕を緊張させます。その直後に、また力を抜き、弾むような感覚で打つことがポイント！

Check　手の内を近間で練習する

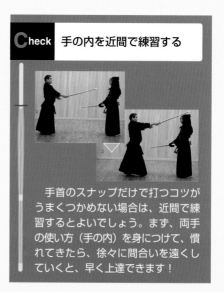

　手首のスナップだけで打つコツがうまくつかめない場合は、近間で練習するとよいでしょう。まず、両手の使い方（手の内）を身につけて、慣れてきたら、徐々に間合いを遠くしていくと、早く上達できます！

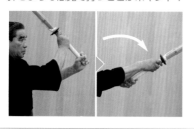

69

払い面

Harai men

 POINT 竹刀を払って相手の構えを崩す！

 1 中段の構え。一足一刀の間合いから1歩攻め入る。
（表を払い上げて面の場合）

 2 相手の竹刀の中ほどを、
左半円を描くように払いながら振り上げる。

✕ **相手の竹刀の中ほどを払って、
一拍子で素早く面を打つ！**

　払い面は、互いに中段に構えた状態から、相手の竹刀の中ほどを払い上げ、または払い落として面を打つ技です。払うときは、竹刀を振り上げる過程の中で行い、一連の動作が一拍子となるように打ちます。また、手首を柔らかく使い、剣先で半円を描くように払うことも重要なポイント。そのときの状況に応じて、表払い、裏払いを使い分けることができるように練習しましょう！

> 👑 **表払いと裏払い**
>
> 　払い方には、表払いと裏払いの2通りがあります。自分から見て、相手の竹刀の右側から払うのが表払い、左側から払うのが裏払いです。表払いの場合、竹刀を振り上げる動作の中で、剣先で左半円を描くように払います。
>
>
>
> 表払い　　　裏払い

●前に出ながら払うこと！

　払うときは、右手だけでなく両手を使って払い、また、足を止めて払わず、前に踏み込みながら払うようにすること！

3 2の動作と同時に右足を鋭く踏み込み、払い上げて打つという動作を一拍子で行う。

4 手首のスナップを利かせて正面を弾むように打つ。「メン！」

2段モーションはNG！

NG!

　竹刀を払ってから打つのではなく、払いながら打つという意識を持って、一拍子で打つことを心がけましょう。右足の踏み込みは、通常の正面打ちと同じく、腰を入れた鋭い踏み込みで行い、2段モーションにならないよう注意すること！

Check　払い技の狙い目は？

　払い技は、自分が攻めたときに、相手が出ようとしたり、引こうとした瞬間が狙い目。また、相手の剣先が高いときは払い上げ、低いときは払い落とすというように、状況に応じた使い分けが効果を発揮します。

連続技・面〜面　Men men

POINT　一本目の面を避けようとした相手に打ち込む！

1 中段の構え。
一足一刀の間合いから、1歩攻め入る。

2 一本目の面を正確に打ち込む。
元立ちは1歩後退する。

✕ 左足を素早く引きつけて、身体の勢いを止めずに打つ！

中段の構えから面を打ったとき、相手が剣先を下げながら1歩引いたり、身体を反らして避けようとした瞬間を狙い、すかさず連続して面を打ち込む技です。一本目の面打ちの勢いを止めずに、左足を素早く引きつけて素早く連続して打ち込むことが重要です。また、稽古をする際には、一本目の面打ちも中途半端ではなく、しっかりとした正確な面打ちを心がけることが大切です。

一本目の面も正確に打ち込む

中途半端な打ち　NG!

連続技だからといって、一本目の面をいい加減に打ち込んではいけません。常に一本で決めてやるという気持ちで打つことが大切です。一本目の面が決まった場合、打ちが中途半端だったために無効とされないようにしっかり打つこと！

●剣先をゆるめずに打つ！

一本目の面打ちの後は、竹刀を振り上げたりせず、両腕を伸ばしたまま剣先をゆるめずに押さえて打ちましょう！

 左足を素早く引きつけ、両腕を伸ばしたまま、剣先をゆるめずに二本目を狙う。

 腰の入った正しい姿勢でしっかりと面を打つ。

Check　左足を素早く引きつける！

一本目の面を打ったら、素早く左足を引きつけ、二本目の面を瞬時に打ち込むことが大切。左足の引きつけが遅いと、打突の勢いが半減し、次の面打ちの姿勢も前のめりに崩れて半端な打ち方になってしまいます。

仕掛け技 - 小手 1

一本打ち・小手

Ipponuchi Kote

1 中段の構え。
一足一刀の間合いから、1歩攻め入る。

2 右足を踏み込みながら、
右手首を起こす感覚で小さく剣先を振り上げる。

✕ 左右の手が水平になるくらいに
手首のスナップを利かせて打つ

実戦での小手打ちは、竹刀を振り上げることなく、手首のスナップだけで打ちます。相手の内小手（小手の内側）を狙うようなイメージで、当たったときに竹刀が水平になるようにしっかりと打ちます。また、このとき、右手と左手の高さも水平になるくらいに手首のスナップを利かせることがポイント。手先だけで打つのではなく、きちんと踏み込んで腰の入った打ち方を意識しましょう。

剣先を立てない！

NG!

右手を強く握って打つと、剣先を立てた状態で小手に当たってしまいます。これでは、一本の条件を満たす打ちとは認められません。刃すじを斜めにしてもまた同じです。相手の内小手を狙う感覚でまっすぐ打つことを心がけましょう！

●背すじを伸ばして打つこと！

　踏み込みの浅い前のめりの姿勢や、身体を左斜めに傾けた姿勢で打たないこと。常に正しい姿勢を心がけましょう！

 相手の内小手を狙うイメージで、手首のスナップを利かせてまっすぐ打つ。

 打ち終わった後も油断せず、余勢にあずけたまま相手に身体をぶつけていく。

水平の高さで打つ

　小手打ちは、相手の小手に対して、竹刀が水平の高さで捉えることを意識して打ちましょう。このときに、右手と左手も同じく水平になっていれば、スナップの利いた鋭い打ちができている証拠。小さく、鋭く、強く打つことが重要です。

Check スナップで弾むように打つ

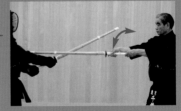

　小手打ちは、相手の剣先を越えて打ちますが、竹刀は大きく振り上げずに、右手首を少しだけ振り上げて剣先を振るイメージで打ちます。また、押さえつけるような打ち方をせず、弾むように打つことも大切です。

払い小手

Harai gote

> **POINT** 相手の竹刀を右上に払い上げて小手を打つ！

1 中段の構え。一足一刀の間合いから、相手の右拳に剣先を向けながら1歩攻め入る。

2 剣先で小さな右半円を描くように、相手の竹刀を裏から払い上げる。

✕ **手首を柔らかく使い、裏から払い上げて小手を打つ**

互いに中段に構えた状態から、相手の竹刀を裏から払い上げて小手を打つ技です。まず、中段の構えから、相手の右拳に剣先を向けながら1歩攻め入ります。この剣先を下げた状態から、竹刀を振り上げながら、剣先で右半円を描くようにして裏から相手の竹刀を払い上げます。そのまま小手を打ちますが、払って小手を打つ一連の動作は、一拍子で行うことが重要なポイントです。

手首のスナップで裏から払う！

払い小手は、自分から見て、相手の竹刀の左側（裏）から払い上げます。竹刀を振り上げる動作と合わせながら、剣先で小さな右半円を描くように払うことがポイント。左拳はあくまで正中線からはずさずに、手首のスナップを利用します。

●相手の目を見て行うこと！

　小手に注目したり、剣先ばかりに注意がいってしまうと、相手に読まれてしまいます。相手の目を見て行いましょう！

3 2と同時に右足を前に踏み込み、
竹刀を払って打つまでの動作を一拍子で行う。

4 手首のスナップを利かせて、
刃すじ正しく小手を打つ。「コテ！」

Check　**手先だけにならないように注意！**

　払い小手は、とくに手先の技になりやすい傾向があるので注意が必要です。竹刀操作に合わせて、右足をしっかりと踏み込み、左足を素早く引きつけ、腰の入った正しい姿勢で打ち込めるよう心がけましょう。

連続技・小手〜面　　Kote men

POINT 相手が小手打ちを引いて避けた瞬間を狙う！

 1 中段の構え。
一足一刀の間合いから、1歩攻め入る。

 2 通常の小手打ち同様、正確に打ち込む。

✕ **左足を素早く引きつけ、
剣先の力をゆるめずに打つ**

　小手を打ったとき、相手が剣先を下げながら1歩引いてかわした瞬間に、すかさず面を打ち込む連続技です。このとき大切なのは、一本目の小手打ちを正確に打つことと、素早く左足を引きつけて剣先の力をゆるめずに連続して打ち込むことです。また、相手の竹刀を避けて身体を斜めに傾けたり、前のめりの姿勢で打ってはいけません。正しい姿勢で一本一本を正確に打ちましょう！

**小手を打ったときの
剣先の力をゆるめない**

　小手を打った後に、竹刀を大きく振り上げてはいけません。腕を伸ばし、剣先を相手に向けたまま、余勢を利用して手首のスナップで面を打ちます。剣先をそらしてしまうと、動きのロスになり、相手に隙を与えてしまうことになるのです。

●小手をしっかり打つ！

たとえフェイントであっても、小手を正確に打ち込むことが大切。本気で打つからこそ相手を崩すことができるのです！

3 左足を素早く引きつけ、腕を伸ばしたまま剣先の力をゆるめずに面を狙う。

4 腰の入った正しい姿勢から、手首のスナップを利かせて面を打つ。

⚠ 左足を素早く引きつける！

連続技のポイントは、左足の素早い引きつけ。このスピーディな足さばきができなければ、二本目の面を正確に打突することができません。小手を打った瞬間に、次の攻撃に移行できる体勢を作っておくことが重要なのです。

Check 相手の目を見て打つ！

自分が打ちたい箇所を見てしまうと、姿勢が崩れてスムーズに技を繰り出せないばかりか、相手に自分の動きが読まれてしまいます。必ず相手の目を見て打てるように、目付けを意識した稽古に取り組みましょう！

一本打ち・胴

Ipponuchi Do

POINT ▶ 左手をひと握り分右手側に送って竹刀を返す！

1 中段の構え。一足一刀の間合いから、剣先で相手の中心を攻める。相手の手元が上がる。

2 右足を大きく踏み込み、竹刀を振り上げながら左手をひと握り分、右手側に送る。

 相手の手元が上がった瞬間に、右胴をやや水平に打つこと！

　実戦の胴打ちは、竹刀を振りかぶり剣先を左斜め45度に返しますが、このとき竹刀を頭上で大きく振り回さないように注意します。また、左手を右手側にひと握り分送ると、竹刀の返しがスムーズになります。基本の刃すじは、斜め45度の角度ですが、胴の形状が丸みを帯びているので、それよりもやや水平に近い角度で打つことによって、より一本の条件に合う打ち方となります。

左手をひと握り分、右手側に送る！

　竹刀を振り上げて返すときに、左手を柄頭から右手の方へひと握り分送ると、スムーズに竹刀を操作することができます。相手の右胴を的確に素早く打つという意味では、通常の握りよりも、両手の振り幅が小さくなった分効果的なのです。

●腰を落として背すじを伸ばす

　右足を大きく踏み込むとき、やや腰を落とした低い姿勢をとり、背すじを伸ばして打つことを心がけましょう!

 竹刀を素早く返して、やや水平に近い角度の軌道で振り下ろす。

 右拳を相手にぶつけていく感覚で右胴を打つ。

!! 斜め45度より水平に近い角度で打つ

　刀で斬る場合は、斜め45度の刃すじが適していますが、剣道の胴は丸みを帯びているので、この刃すじで打つと、打ちが流れてしまう場合があります。そこで、これより水平に近い角度で打つことで、さらに正確な打突が可能となります。

Check 右拳を相手の腹にぶつけていく感覚で打つ

　左手を右手の方へひと握り分送り、竹刀を返してやや水平に近い角度で右胴を捉えますが、このとき相手の腹に右拳をぶつけていく感覚で打つと、剣先に力が伝わり、さらにキレのある胴打ちとなります。

仕掛け技 - 胴 **2**

飛び込み胴

Tobikomi do

POINT ▶ 勢いよく歩み足で飛び込んで右胴を打つ！

 1 中段の構え。剣先で相手の竹刀を上から押さえる。

 2 相手の手元が上がった瞬間に、素早く竹刀を振り上げ、手首を左に返す。

✕ **相手の手元が上がった瞬間、迷わずに勢いよく飛び込む！**

飛び込み胴は、送り足を使う他の技と違い、歩み足で飛び込んで右胴を打ち、そのまま相手の右脇を抜けていく技です。中段の構えから、相手の剣先を上から押さえ、手元が上がった瞬間を狙います。竹刀を振り上げて剣先を左に返しながら、左足を大きく踏み込んで右胴を打ちます。この場合、左手は右手側に送らずに打ち、歩み足のまま相手の右脇を素早く抜けていきます。

Check **相手の竹刀を上から押さえ、手元が上がった瞬間を狙う**

飛び込み胴は、中段に構えたときに、相手の竹刀を上から押さえ、それを嫌がった相手が、手元を上げた瞬間を狙います。間合いの攻防の際に探りを入れて、手元が上がる癖があれば、仕掛けてみましょう！

●前のめりに打たないこと！

　この技は、後ろ足から踏み込む特徴から、前傾姿勢で打ってしまう傾向がありますが、常に正しい姿勢を保ちましょう！

実戦の技を磨く！
第3章
DVD

 2と同時に、左足から大きく踏み込み、相手の右胴を打つ。

 相手の右脇を歩み足で素早く抜ける。

左足で踏み込む！

　送り足を使用する通常の技は、右足から踏み込みますが、歩み足を使用する飛び込み胴は、後ろ足である左足から踏み込みます。右胴を打った後も、歩み足で抜けていきます。リズムが違うので、相手の意表を突く場合に効果があります。

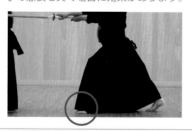

迷わず、勢いよく打つ！

　飛び込み胴は、遠間から一気に踏み込む技なので、少しでも迷ったりすると、相手に大きな隙を与えてしまうことになります。そのため、仕掛けるときは、躊躇せずに思い切って飛び込むことが、この技の大きなポイントでもあるのです。

連続技・小手〜胴　Kote do

POINT ▶ 次の技を防ごうと手元を上げた相手の胴を打つ！

 中段の構え。
通常の小手打ちと同様に、1歩攻め入る。

 正確な打突を心がけて、小手を打つ。

✕ 小手打ちの後に、相手が面を
警戒したところに胴を打つ！

中段の構えから小手を打ち、その
打ちが不十分な場合に、相手が面を
警戒したり、反撃を仕掛けようと手
元を上げた瞬間に右胴を打つ連続技
です。小手打ちの後は、素早く左足
を引きつけ、相手が面を警戒するよ
うに竹刀の動きで誘いながら、瞬時
に手首を返して胴を打ちます。この
とき、やや右側に身体をさばいて打
つことがポイント。相手の小手〜面
などに合わせることも効果的です。

Check 相手の手元が上がった
瞬間を狙う！

小手打ちが不十分だった場合に、相
手が反撃しようと打ちかかってきた
り、面を防ごうとして手元を上げた
瞬間が狙い目。小手を打ったら、瞬
時に手首を左に返し、身体を右斜め
前にさばきながら右胴を捉えます。

●相手に面を警戒させる

小手を打った後に、そのまま面にいくと見せかけるように竹刀を振り上げると、相手の手元が上がりやすくなります！

 素早く左足を引きつけながら、面を打つように竹刀を振り上げる。

 相手が手元を上げた瞬間、身体を右にさばきながら手首を返して右胴を打つ。

腰を入れて打つ！

小手から胴打ちに移行するときに、上体を曲げて前のめりの姿勢になってはいけません。左足を素早く引きつけ、常に正しい姿勢から腰を入れて打つという意識が大切です。また、相手との間合いを考えながら技を仕掛けることも重要！

姿勢の崩れた胴打ち
NG!

迷わず、素早く身体をさばく

胴打ちの際に、迷ったりすると相手の攻撃を受けたり、間合いをつめられて技を封じられてしまいます。胴を打つと判断したら、迷わずに素早く身体を右にさばいて、その動きに合わせて手首を返し、瞬時に打つようにしましょう！

鍔^{つば}ぜり合いとは？

POINT ▶ 互いの鍔元を合わせて攻防を展開する！

🔰 鍔ぜり合いとは？

　打突や体当たりの直後、互いに鍔元^{つばもと}を合わせながら、打突の機会を求めて激しく攻防し合う動作を鍔ぜり合いといいます。この状態から、引き技などを狙い、相手を崩しながら打突の機会を窺^{うかが}います。あまり長い時間をかけてはいけませんが、剣道の攻防では重要な要素なので正しい方法を覚えておきましょう。

● **左足のかかとは浮かせておく！**

　鍔ぜり合いのときも、常に左足のかかとは浮かせておきます。相手の動きに対し、瞬時に反応するためのポイントです。

 手元を下げ、下腹に力を入れる

　鍔ぜり合いの正しい形は、両脇をしめながら左拳が下腹の辺りにくるように手元を下げます。鍔元を相手の鍔元に合わせ、剣先がやや右斜め上に向くように竹刀を相手の竹刀と交差させます。このときの手元は、自分の中心に位置すること。背すじを伸ばし、下腹にぐっと力を入れて、常に「攻め」の気持ちで臨みます。

NG!

 身体を前傾させない

　鍔ぜり合いは、相手の体勢を崩して打突の機会を作るためのものであり、決して時間かせぎや、休むための動作ではありません。身体を前傾させたり、竹刀で相手の肩を押さえつけたり、不適切な姿勢や動作で行うと反則をとられる場合もあります。あまり長い時間をかけず、瞬時に相手を崩して技を仕掛けましょう！

Check 攻撃の機会を窺うべし！

　鍔ぜり合いの際、相手を押せば、押し返してきたり、右に返せば、左に戻そうとしたり、相手によっていろいろな反応を示してくるものです。この反応こそが、相手の隙であり打突のチャンスです。積極的に動いて、攻撃の機会を窺いましょう！

引き面

Hiki men

1 鍔ぜり合いから、右手で相手を押す。

2 相手が押し返してきた瞬間に、左足から大きく下がりながら竹刀を振り上げる。

鍔ぜり合いからの引き面

　鍔ぜり合いから、右手で相手を押し、相手が押し返してきた瞬間に、左足から大きく後ろに下がりながら面を打ちます。押し返してきた瞬間は、相手は腕が伸びきっている状態なので、打突の体勢に入れないということがポイント。その瞬間を狙えば、相手は引き面に反応しにくく、打突後に追われる可能性も低くなります。一拍子で素早く打ちましょう。

●局面に応じた引き面

引き面は、鍔ぜり合いからだけでなく、体当たりや打ち終わりの瞬間など、あらゆる局面で使えるようにしましょう！

 相手の腕が伸びきっているところを、一拍子で面を打つ。「メン！」

 きちんと相手との縁を切って後退。剣先は後ろではなく上に向けること。

Check 左右面も使い分けよう

状況によっては、相手が正面ではなく左右いずれかに押し返してくる場合もあります。こういうときは、身体を左右に開きながら、左右面を打つことが効果的。相手の押し返した逆の方向に身体をさばきましょう！

相手との縁を切る！

引き面が決まったとしても、その後の後退動作のときに、相手が追ってきて、間合いが切れずにいると一本として認められません。相手との間合いを切ることを「縁を切る」といいますが、そのためには、相手を崩して打つことが重要です。

89

仕掛け技 - 引き技 ③

引き胴

Hiki do

> **POINT** 鍔ぜり合いから下がりながら胴を打つ！

1 鍔ぜり合いから、
相手の手元を右手で上から押し下げる。

2 相手が反発して手元を上げた瞬間に、左足から大きく下がりながら、手首を柔らかく使って竹刀を左に返す。

🛡 鍔ぜり合いからの引き胴

鍔ぜり合いから、右手で相手の手元を押し下げて、その反発で相手が手元を上げてきた瞬間に、左足から大きく後ろに下がりながら右胴を打ちます。このとき、竹刀を頭上まで大きく振りかぶらず、顔の前で手首を返すようなイメージを持つこと。手首を柔らかく使い、素早く一拍子で打つことが重要です。また、打突後の姿勢も正しく行いましょう！

●刃すじ正しく打つこと！

　引き胴のときも、水平に近い角度まで
しっかり手首を返して、正しい刃すじで
素早く打つことが大切です。

 水平に近い角度まで手首を返し、
相手の右胴を刃すじ正しく一拍子で打つ。

 相手に正面を向けたまま、
きちんと縁を切って後退する。

竹刀を頭上で回さない

　引き胴を打つ際、竹刀を頭上に振りか
ぶってから、手首を返してしまうと、ど
うしても二拍子の打ち方になってしまい
ます。これでは、相手の一瞬の隙を捉え
ることができません。竹刀は頭上で振り
回さず、顔の前で鋭く返しましょう！

NG!

相手に正面を向けて下がる

NG!

　打突した後に、必要以上に半身になっ
て下がったり、剣先を後ろに向けて下が
ってしまう人が多く見られます。しかし、
この姿勢では、相手の反撃に反応するこ
とができません。常に身体と剣先は、相
手に正対しておくことが重要です。

引き小手

Hiki gote

POINT → 鍔ぜり合いから下がりながら小手を打つ！

 鍔ぜり合いから、相手の手元を
右手で左に押さえながら、身体を右にさばく。

 相手が反発して右に押し返そうとした瞬間、
身体を左にさばいて小手を狙う。

 鍔ぜり合いからの引き小手

　鍔ぜり合いから、相手の手元を右手で左に押さえながら身体を右にさばきます。それに反発して相手が右に押し返そうとした瞬間、身体を左にさばきながら小手を打ちます。相手の押し返す力を体さばきでかわすことによって、右小手に隙を作ることがポイント。また、両足が常に相手の右小手に向くように注意しながら、左足から大きく下がりましょう。

●剣先を後ろに向けて下がらない！

　剣先を必要以上に後ろに向けて下がる
人がいますが、打ち終わりは剣先を上に
向ける程度にし、相手を警戒すること！

 左足から大きく下がりながら、
手首のスナップを利かせて弾むように小手を打つ。

 剣先を上に向けた姿勢で、
相手との縁を切って後退する。

Check 身体をやや左にさばいて
打つ！

　引き小手の際は、相手の押し返す
力をかわしながら、身体をやや左に
さばいて相手の裏に回ります。そう
することで、相手の右小手に隙が生
じ、その一瞬の隙を手首のスナップ
を利かせて、素早く捉えるのです。

出ばな面

Debana men

POINT ▶ 相手が打って出ようとした瞬間に面を打つ！

 中段の構え。一足一刀の間合い。

 いつでも打てるという姿勢で、タメを作りながら打間に攻め入る。

✕ **相手の面打ちを誘い出し、その"起こり"を捉えて打つ！**

　出ばな技は、仕掛け技として分類されていますが、基本的に相手が打って出ようとした瞬間（起こり）を捉える技なので、応じる技として紹介します。まず、一足一刀の間合いから1歩攻め入り、相手が面を打つよう誘い出します。相手が打とうと動き出した瞬間を、手首のスナップを利かせた鋭い面打ちで捉えます。打ち込むタイミングと相手の前に出る力を利用することがポイント。

"起こり"とは？

　剣道における打突の好機には、「起こり」「技の尽きたところ（動作や技が終わり、次の技に移ろうとした瞬間）」「居ついたところ（緊張が途切れた瞬間）」「引きはな（体勢を整えるために下がる瞬間）」「受けとめたところ（攻撃を竹刀で受けた瞬間）」「息を深く吸うところ」などがあります。出ばな技で狙うのは、「起こり」です。「起こり」とは、相手が打とうと動き出した瞬間のことを指しますが、この機会を捉えるには、待っていては不可能です。自分から攻めて、相手を誘い出すことが重要です。

●相手が打ってからでは遅い!

　出ばな技は、相手が打とうと動き出した瞬間を打つ技なので、相手が打ってからでは遅いということを理解しましょう!

 相手が攻めの圧力に耐えきれなくなって、打とうと動き出した瞬間に踏み込む。

 相手の前に出てくる力を利用しながら、手首のスナップだけで鋭く面を打つ。

相手を迎えに行く

　一足一刀の間合いから、打間に攻め入ります。このとき、いつでも踏み込めるという姿勢で、ぐっとタメを作ると、相手は圧力に耐えきれなくなります。耐えきれずに打って出た相手の面打ちを、迎えにいく意識を持つとよいでしょう!

Check　相手の前に出る力を利用!

　出ばな面の場合は、相手が前に出てくることも計算に入れて打ちます。相手が前に出るということは、一本打ちよりも踏み込む必要もなく、竹刀で打突する力も、手首のスナップだけで十分な力が生まれるのです。

応じる技・面に対して **2**

出ばな小手

Debana gote

POINT ▶ 相手が面を打とうと剣先を上げた瞬間を打つ！

1 中段の構え。一足一刀の間合い。

2 いつでも打てるという力をためた姿勢で、打間に1歩攻め入る。

✕ 相手の鍔元を攻め、面を誘って小手を打つ！

　出ばな小手は、一足一刀の間合いから、いつでも打てるという力をためた姿勢で打間に攻め入り、相手が面を打つように誘います。面を打とうと相手が剣先を上げた瞬間に、鋭く踏み込んで手首のスナップを利かせて小手を打ちます。このとき、剣先を振り上げて打つと相手に遅れてしまうので、手首を柔らかく使い、小さい振りで素早く打つことが重要です。刃すじにも注意して打つこと！

「拳攻め」とは？

　剣先を相手の鍔元（右拳）に向けながら、打間に攻め入ることをいいます。剣先が下がった状態にあるため、相手は自然と上（面）を攻める気持ちになってしまいます。また、相手が剣先を上げれば、竹刀を下から裏に回すことも可能です。

実戦の技を磨く！

第3章

DVD

●手首のスナップだけで打つ！

相手に打ち勝つには、竹刀の小さく鋭い振りが重要。手首を柔らかく使い、スナップだけで打てるようにしましょう！

3 攻めの圧力に耐えられず、相手が面を打とうと剣先を上げた瞬間に、小手打ちの体勢に入る。

4 手首のスナップを利かせて、刃すじ正しく小さな振りで鋭く打つ。「コテ！」

!! 剣先を上から回すと遅れやすい

　相手の竹刀の上から裏に回そうとすると、竹刀を大きく振り上げる分、どうしても相手に遅れてしまうことがあります。このような場合は、拳攻めを使い、相手の竹刀の下から裏に回すと、小さな振幅で素早く小手を打つことができます。

Check 正しい刃すじで打つ！

　相手の面をかわそうと、身体を左に傾けると、正しい刃すじで打てなくなってしまいます。平打ち（鎬の部分で打つこと）になったり、剣先を立てて打つことのないよう、正しい姿勢で打つことが重要です！

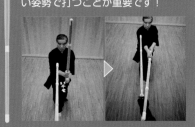

面すり上げ面

POINT 相手の面打ちを鎬(しのぎ)の部分ですり上げて面を打つ

 中段の構え。一足一刀の間合いから打間に攻め入り、相手の面打ちを誘う。（表すりあげ面）

 相手の竹刀を、竹刀の中ほどより先で捉える。竹刀の左側（表鎬）ですり上げる。

相打ちのタイミングで踏み込み、一拍子で打つことがポイント！

すり上げ技は、相手の打突を鎬（竹刀の横面）の部分ですり上げて打つ技です。一足一刀の間合いから打間に攻め入り、相手の面打ちを誘います。相打ちのタイミングで踏み込んで、相手の竹刀を剣先で半円を描くようにしてすり上げます。そのまま竹刀を振り下ろして面を打ちますが、この一連の動作を一拍子で行います。状況に応じて、表すり上げ、裏すり上げを使い分けましょう。

 小さな半円を描くように！

すり上げる動作は、剣先で小さな半円を描くように行います。表からすり上げるときは左半円、裏からの場合は右半円を描きます。手首を柔らかく使い、竹刀を振り上げる動作と連動させて行いましょう。（写真は表すり上げの場合）

● 身体を右斜め前にさばく

　表すり上げ面の場合、身体をやや右斜め前にさばくと、前に出てくる相手と交錯することなくスムーズに踏み込めます。

3 竹刀を振り上げる動作と連動させながら、剣先で左半円を描くようにすり上げる。

4 そのまま竹刀を振り下ろし、右足の踏み込みと同時に相手の面を打つ。「メン！」

前ですり上げる！

　すり上げ技は、竹刀の中ほどより先の部分ですり上げることが重要です。そのためには、相手の打突に遅れることなく、出ばな技のつもりで踏み込むことが大切。また、剣先は後ろに向けず、前に向けてすり上げることを心がけましょう！

Check　一拍子で打つ！

　すり上げて面を打つ動作は、竹刀を振り上げる動作と連動させ、一拍子で行えるようにしましょう。二拍子のタイミングでは、完全に遅れてしまいます。相打ちする覚悟とスピードで、スムーズに行うこと！

面返し胴

Men kaeshi do

POINT 面打ちを鎬（しのぎ）で受け、竹刀を返して胴を打つ！

 一足一刀の間合いから打間に攻め入り、相手の面打ちを誘う。

 竹刀を前に出して、左の鎬で相手の打突を表から受ける。竹刀の中ほどより先で受けること。

剣先を立てずに前で受け、
手首を返して一拍子で打つ！

　面返し胴は、中段の構えから攻め入って相手の面打ちを誘い出し、打突を竹刀で受けながら手首を返して右胴を打つ技です。打突を受ける際は、剣先を立てずに竹刀を前に出し、表から左側の鎬で受けます。そこから竹刀を頭上に振り回さず、その高さのまま手首を返して一拍子で打ちます。このとき、柄頭を握っている左手を右手の方へひと握り分送ると、手首を返しやすくなります。

Check 相手の打突を前で受ける

　返し技は、剣先を立てずに竹刀を前に出して、相手の打突を迎えにいくように受けることが重要。竹刀の中ほどより先で受けとめるため、相手の打突を待つのではなく、誘い出して「先（せん）」を捉えることが大切です。

● 身体を右斜め前にさばく

　体さばきは、右斜め前に踏み込んで相手の左脇を抜けていきます。このとき、腰の入った正しい姿勢を保つこと!

 左手を柄頭から右手側にひと握り分送りながら、そのまま手首を素早く返す。

右斜め前に身体をさばきながら、刃すじ正しく相手の右胴を打つ。

 素早く手首を返す!

　手首を返すときは、小さな振幅で素早く行うことがポイント。打突を受けた瞬間に、左手を右手の方へひと握り分送りながら、手首を柔らかく使い、竹刀を左へ返します。そのまま胴打ちに移行する流れを瞬時に行えるようにしましょう!

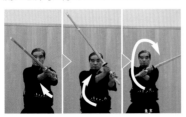

竹刀を頭上で回さない!

NG!

　打突を受けてから、竹刀を頭上に振りかぶって大きく回しながら返すと、受けて、胴を打つという二拍子のリズムになってしまいます。受けた位置から、そのまま竹刀を返し、ムダのない動きで一拍子の打ち方ができるようにしましょう。

面抜き胴

Men nuki do

> **POINT** 相手の面打ちを体さばきでかわして胴を打つ！

1 一足一刀の間合いから打間に攻め入り、相手の面打ちを誘う。

2 相手が面を打ってくると同時に、顔の前に竹刀を振り上げ、左手を右手側にひと握り分送る。

右斜め前に踏み込んで相手に空間を打たせて抜く！

　抜き技は、身体を引いたり、開いたりすることで相手に空間を打たせて、技が尽きたところを素早く打つ技です。面抜き胴は、身体を右斜め前にさばいて、相手の面打ちをかわしながら隙のできた右胴を打ちます。このときも、左手を柄頭からひと握り分送り、手首を柔らかく使って瞬時に左に返します。体さばきは、あまり右に開き過ぎず、相手とすれ違う程度にさばきましょう！

左手を送りながら、手首を素早く返す！

　面を抜く瞬間に、竹刀を顔の前に振り上げながら左手を柄頭から右手の方へひと握り分送り、素早く手首を返します。このとき、竹刀を頭上で大振りしてしまうと、胴打ちが遅れて、相手の腹を打ってしまうことになるので注意しましょう！

●相手の打突を待たない！

　抜き技も、相手の打突を剣先の攻めによって誘い出し、前に出る気持ちで行うことが大切。待っていてはいけません！

3 瞬時に手首を返しながら、右斜め前に踏み込む。

4 相手の面打ちをかわしながら、刃すじ正しく右胴を打つ。

体勢を崩さない！

NG！

　相手の面打ちを避けようとして、必要以上に身体を右に傾けたり、頭を下げて前のめりの体勢になると、正しい刃すじで打つことができません。必ず背すじを伸ばし、腰を入れて踏み込んで、正しい姿勢からの胴打ちを心がけましょう！

Check 正しい刃すじで打つ

　身体を右に開き過ぎると、腹を打ってしまいます。右胴を正確に捉えないと、一本として認められません。相手の刃すじを見極めて、身体にぶつからない程度にさばくと、正しい刃すじで打つことができます。

応じる技・面に対して 6

面切り落とし面

Men kiriotoshi men

1 一足一刀の間合いから、打間に攻め入り、相手の面を誘う。

2 相手が面に出たところを、左側の鎬で相手の竹刀を打ち落とす。

✕ 相手の面打ちを上から鎬ですり落として面を打つ！

　面切り落とし（打ち落とし）面は、相手の面打ちを上から打ち落として、そのまま面を打つという難易度の高い技です。相手が打ってくる竹刀を鎬ですり落とす感覚で打ち落とし、相手の刃すじをそらします。正中線にある自分の竹刀を、そのまま振り下ろして面を捉えます。出ばな面のつもりで踏み込んで一拍子で打つことがポイント。剣先が低い相手の面打ちに対して有効な技です。

‼ 出ばな面と同じ要領で行う

　剣先の攻めによって、相手の面打ちを誘い、「起こり」を捉える出ばな面と同じ要領で仕掛けることが重要です。このとき、タイミングが少し遅れてしまった場合に、瞬時に反応して相手の竹刀を鎬で打ち落とすイメージを持ちましょう！

遅い！ **NG!**

●相打ち覚悟で臨むこと！

　この技は、基本的には出ばな面を狙い、その他の選択肢がないときに、相打ち覚悟（のぞ）で臨むことが好ましいでしょう！

 打ち落とす動作と竹刀を振り下ろす動作を連動させ、相手の竹刀を鎬にすべらせて面の軌道からはずす。

 3の流れのまま、竹刀を鋭く振り下ろして面を打つ。「メン！」

相手の面打ちを剣先で切り落とす感覚！

　相手が面を打ってきた際に、竹刀の強い振り下ろしによって、相手の刃すじを面の軌道上からはずします。相手の竹刀を鎬の左側（表）にすべらせるようにし、剣先で相手の正中線を切り落とす感覚で、鋭く竹刀を振り下ろすことがポイント！

Check 動作は一拍子！

　タイミングがとても難しい技なので、一拍子で行うことができなければ、間合いをつめられ打ち遅れてしまいます。打ち落としてから打つのではなく、竹刀を振り下ろす中で、相手の竹刀を打ち落とすこと！

小手相打ち面

Kote aiuchi men

POINT ▶ 相手の小手打ちを相打ちで無効にして面を打つ

 1 一足一刀の間合いから打間に攻め入り、相手の小手打ちを誘う。

2 相手が小手を打ってくると同時に、自分も小手を打ち、打突を相打ちで無効にする。

✕ 相手が小手を打ってきたところを小手～面の連続技で捉える！

相手の小手打ちを小手の相打ちで無効にし、すかさず面を打つ連続技です。剣先の攻めによって、相手の小手打ちを誘い、相手の出てくる間合いを見極めながら、自分も小手を打って出ます。小手の相打ちによって打突が無効となった瞬間、素早く左足を引きつけて、すかさず面を打ちます。相手の「起こり」を捉えることがポイント。相手に間合いをつめられる前に打ちましょう。

相手を引き出して打つ！

剣先を上げて攻め入り、面を打つと相手に思わせながら小手打ちを誘います。相手の小手打ちの「起こり」を捉えて踏み込まないと、相打ちにできないので要注意。相手の小手打ちを待つのではなく、自分で引き出すつもりで行うこと。

●自分から迎えにいく！

　この技も瞬間的に反応しなくては、確実に遅れてしまいます。相手の小手打ちを自分から迎えにいくつもりで行うこと！

3 瞬時に左足を引きつけ、面打ちに移行する。

4 手首のスナップだけで、鋭く面を打つ。「メン！」

左足を素早く引きつける

　小手打ちの後、すかさず面を打つためには、左足を素早く引きつけることが大切です。瞬時に反応しないと、相手は小手打ちの余勢で間合いをつめてくるので、身体が交錯する前に面を打つ必要があります。スピードを意識すること！

Check 出てくる相手との間合いを見極める！

　相手は思い切りよく踏み込んでくるので、その間合いを計算に入れておくことも大切です。小手を小さめに踏み込んで、面打ちのための間合いを残しておきます。自分から仕掛ける場合との違いを理解しましょう。

小手すり上げ面

Kote suriage men

 POINT 相手の小手打ちを裏からすり上げて面を打つ

 1 一足一刀の間合いから打間に攻め入り、相手の小手打ちを誘う。

 2 相手の打突に素早く反応し、竹刀の中ほどより先で裏からすり上げる。剣先は前に向けること。

 竹刀の根元ではなく、中ほどより先ですり上げる！

剣先の攻めによって、相手の小手打ちを誘い、右側の鎬（しのぎ）で裏から相手の竹刀をすり上げて面を打つ技です。できるだけ、竹刀の中ほどより先の方ですり上げることを意識し、手首を柔らかく使って、剣先で小さな右半円を描くようにすり上げます。竹刀を振り上げる動作と連動させて素早く一拍子で打つことがポイント。剣先を上に向けてすり上げずに、前に向けてすり上げましょう！

!! 裏からすり上げる！

小手すり上げ面は、相手が竹刀を裏に回して打ってくるので、必然的に裏からすり上げることが多くなります。竹刀を振り上げる動作に合わせ、剣先で右半円を描くようにすり上げます。このとき、剣先は前に向けておきましょう！

●すり上げ技のコツは？

　裏からすり上げるときは、手の握り、とくに親指の使い方にコツがあります。詳しくは144ページを参照。

実戦の技を磨く！

DVD

第3章

3 剣先で右半円を描くようにすり上げ、同時に右足を踏み込む。

4 そのまま竹刀を振り下ろし、一連の動作が一拍子となるようにして面を打つ。

竹刀の中ほどより先ですり上げる

　すり上げるときは、竹刀の根元ではなく、できるだけ中ほどより先ですり上げることが大切です。そのためには、自分から相手の小手打ちを迎えにいくような感覚で、前にすり上げることが重要。剣先を立てたりしないように注意しましょう。

Check 一拍子で素早く打つ

　すり上げる動作は、竹刀を振り上げる動作と連動して行うことが重要です。下半身は、一本打ちのように踏み込みながら、それに合わせてすり上げから面打ちまでを一拍子で行います。2段モーションは厳禁！

応じる技・小手に対して **3**

小手返し面

Kote kaeshi
men

POINT 小手打ちを表で受け、手首を返して裏から面！

1 一足一刀の間合いから打間に攻め入る。手首を外側にひねり、相手の小手打ちを誘う。表（左側の鎬）で受ける。

2 受けた瞬間に、手首を逆側に返しながら右足を踏み込む。

✕ 右手を外側にひねって表で受け、手首を返して裏から面を打つ！

　相手の小手打ちを表で受けて、瞬時に手首を返して裏から面を打つ技です。右手首を外側にひねるような感じで剣先を下げ、相手の小手打ちを表で受けます。このときは、踏み込まずにその場で受け、瞬時に手首を内側に返しながら右足を踏み込みます。竹刀を表から裏に回し、素早く相手の正面を打ちます。この技のポイントは、手首の使い方。柔軟かつ鋭い手首の返しを心がけましょう。

手首を外側にひねって受ける

　小手を打ってくる相手の竹刀を裏に回させずに、右手首を外側にひねって表で受けます。このとき、剣先が立っていると、小手に当たってしまう危険があるので剣先は下げておきます。打突を受けた瞬間に、素早く手首を逆側に返します。

●手元を引かない！

　小手打ちを受けるときは、手元を引かず、迎えにいくような形で、できるだけ前で受けるようにしましょう！

 手首を返したら、そのまま面打ちに移行する。

 竹刀を裏に回して、相手の正面を打つ。
「メン！」

 適切に身体をさばこう！

　基本的には、相手の正面に右足を踏み込んで打ちますが、そのときの状況に応じて適切に身体をさばくことも必要です。相手と接近し過ぎた場合は、後ろに引いたり、左に開いたりして正しい刃すじで打ち込めるようにしましょう。

Check　手首を柔らかく使って素早く打つ

　返し技でもっとも重要なのが、手首を柔らかく使うこと。右手に力が入り過ぎていると、関節が固くなってしまい、素早い返しができなくなります。打突を受けた瞬間に、素早く手首を返して打つことがポイント！

小手打ち落とし面

Kote uchiotoshi men

POINT 相手の小手打ちを上から打ち落として面を打つ

1 一足一刀の間合いから打間に攻め入り、相手の小手打ちを誘う。

2 相手の鍔元を打つつもりで、左斜め上から右斜め下に向かって竹刀を打ち落とす。

小手を打ってくる相手の鍔元を打ち落とし、面を打つ！

小手を打ってくる相手の竹刀を上から打ち落として面を打つ技です。剣先の攻めで相手の小手を誘い、相手が打ってきた瞬間に、鍔元を打つつもりで竹刀を左斜め上から右斜め下に打ち落とします。打ち落としの動作をする1歩目は、小さく強く踏み込み、打ち落としたらただちに2歩目を踏み込んで面を打ちます。相手との間合いを見極めて、瞬間的に適切な打間を作ることが重要です。

1歩目は小さく強く踏み込む

打ち落としの動作は、手先だけでなく、腰を中心とした身体の力を利用することが重要です。しかし、大きく踏み込むと、間間がなくなってしまうので、1歩目は小さく強く踏み込むか、その場で重心を前にかけるようにして行います。

●剣先を立てない！

打ち落とした後は、素早く面を打ちます。剣先を立てながら大きく振りかぶらず、手首のスナップだけで鋭く打つこと！

3 2から瞬時に右足を踏み込んで面打ちにいく。

4 鋭く素早い竹刀の振りで相手の面を打つ。「メン！」

Check 相手の鍔元を打ち落とす

竹刀を打ち落とす際は、相手の鍔元を打つつもりで、左斜め上から右斜め下に向かって強く打ち落とします。このとき、瞬間的に手の内をしっかりと締めて、手元を崩さずに正確に打ち落とすことが大切です。

小手抜き面

Kote nuki men

POINT 竹刀を振り上げて小手打ちをかわし面を打つ

1 一足一刀の間合いから打間に攻め入り、相手の小手打ちを誘う。

 2 相手が小手を打ってくる瞬間に、竹刀を真上に振りかぶる。重心は前に置く。

✕ 竹刀を振りかぶる動作で 相手の小手打ちをかわす！

　竹刀を振りかぶる動作によって、相手の小手打ちをかわし、すかさず竹刀を振り下ろして面を打つ技です。剣先の攻めで相手の小手打ちを誘い、相手が打ってくる瞬間に、剣先を上に向けながら竹刀を大きく振りかぶります。相手の打突が空を切り、体勢を崩したところで、すかさず竹刀を振り下ろして面を打ちます。このとき、重心を前に置いた状態で小手を抜くことが重要です。

竹刀を真上に振りかぶる

　剣先を後ろに向けて振りかぶると、相手の面を捉えるスピードが遅くなってしまいます。小手打ちを抜いた後、瞬時に面を打つためには、剣先を上に向け、真上に振りかぶることが大切。常にムダのない動作を心がけましょう！

NG!

剣先は後ろに向けない

●踏み込む間合いを見極める！

相手が前に出てくることを考慮して、自分が踏み込む間合いを見極めましょう。あらゆる状況を瞬時に判断すること！

3 相手が小手を空振りし、体勢を崩したところで、右足を踏み込みながら瞬時に竹刀を振り下ろす。

4 相手の面を打つ。一連の動作は一拍子で行うこと。

抜いた瞬間は前に重心！

NG!

相手の小手打ちを抜くときは、後ろに重心を置いてはいけません。後ろに重心があると、前に出て竹刀を振り下ろすときに、どうしても2段モーションになってしまうからです。前に重心を置いたまま、スムーズに身体をさばきましょう。

Check 抜く動作と打突は一拍子

小手を抜く動作は、竹刀を振りかぶる動作と連動させて行います。小手を抜いてから打つのではなく、小手を抜きながら打つことを心がけ、竹刀を振りかぶって打つという一連の動作は、一拍子で行いましょう！

胴返し面

Do kaeshi men

POINT ▶ 胴打ちを竹刀で受け、手首を返して面を打つ

1 一足一刀の間合いから攻め入り、相手の胴打ちを誘う。

2 左拳を上げ、右拳を身体に引き寄せて剣先を下に向ける。相手の胴打ちを表鎬で受ける。

 左拳を顔の高さまで上げ、剣先を右下に向けて受ける！

　相手が右胴を打ってきた際に、左手を顔の高さまで上げ、右手を下にし、剣先が右下に向くようにして打突を左側の鎬（表）で受けます。そこから瞬時に手首を返して、竹刀を裏に回し相手の正面を打ちます。また、このとき、左足を開き足の要領で左斜め前に出して、身体をさばきながら打つと、適正な打間で打突しやすくなります。瞬時に状況を判断し、一拍子で行えるようにしましょう。

胴打ちを受けるときは、左拳を思いきって上げる！

　相手の胴打ちを竹刀で受けるときは、左拳を思いきって上げ、右拳を身体に引き寄せて剣先を下に向けます。このときに重要なのが手首の柔軟性。手首を素早く返して、打突を受けると同時に、竹刀を裏に回すという感覚を覚えましょう！

●腰を入れて打つ！

胴返し面は、体さばきなどで姿勢が崩れ、手先だけの面打ちになることが多いので、しっかりと腰を入れて打ちましょう！

 3 2から瞬時に手首を返し、竹刀を裏に回す。
場合によっては、開き足で身体を左斜め前にさばく。

4 一連の動作を一拍子で素早く行い、
相手の正面を打つ。「メン！」

 Check **素早く手首を返し、
一拍子で打つ**

相手の胴打ちを竹刀で受け、手首を返して面を打つという一連の動作は、一拍子で素早く行うことが重要です。手首の返しが遅れると、その間に間合いをつめられたり、相手が面打ちに反応してしまうからです。

開き足で左斜め前に身体をさばく

相手が胴を打ってくるときは、大きく正面に踏み込んできます。そのまま自分も前に踏み込んでしまうと、適正な打間がなくなってしまう場合もあります。こういうときは、開き足で左足を左斜め前に出し、身体をさばいて打ちましょう。

胴打ち落とし面

Do uchiotoshi men

POINT ▶ 相手の胴打ちを右下に打ち落として面を打つ

1 一足一刀の間合いから攻め入り、手元を上げて相手の胴打ちを誘う。

2 左斜め後ろに身体をさばきながら、竹刀の中ほどより先で、相手の胴打ちを右下に打ち落とす。

 身体を左斜め後ろにさばきながら相手の竹刀を打ち落とす！

　身体を左斜め後ろにさばきながら相手の胴打ちを打ち落とし、すかさず右足から前に踏み込んで面を打つ技です。相手の竹刀を打ち落とすときは、手先だけで打ち落とさず、体さばきの力を利用することが大切。また、体さばきは、踏み込んでくる相手に対して打間を作ることも兼ねています。相手の竹刀を右下に向かって打ち落としたら、瞬時に前に踏み込んで素早く面を打ちましょう。

左斜め後ろに下がって打ち落とす

　相手の胴打ちを打ち落とす際は、左斜め後ろに1歩下がって行います。その場で打ち落とすと、間合いがなくなり、打突することができません。素早く1歩下がって相手の攻撃を身体ごとかわし、間合いを見極めながら打ち落としましょう。

●引き胴を打ち落として面を打つ

相手の引き胴を打ち落とす場合は、手先だけでなく、腰を右にひねる感覚で身体の力も利用することがポイントです！

 打ち落とした瞬間に、素早く右足から前に踏み込んで面打ちの体勢に。

4 正しい刃すじで、相手の面を打つ。「メン！」

竹刀の中ほどより先で応じる

打ち落とす際は、竹刀の中ほどより先の方で応じます。瞬間的に手首を内側にしぼり、打突と同じ感覚で相手の竹刀を右下に向かって打ち落とします。鍔元に近い位置で打ち落としても、効果がありません。できるだけ素早く反応すること！

Check 打ち落としたら素早く打つ

打ち落としたら、瞬時に右足を前に踏み込んで面を打てます。打ち落とされた相手の剣先が元に戻る前に打つことが重要です。また、もし前に間合いがなければ、瞬時に引き技に切り替える判断も必要でしょう。

応用技術 - かつぎ技

かつぎ面

Katsugi men

POINT ▶ 竹刀を左肩にかつぐように振り上げて面を打つ

1 一足一刀の間合いから、1歩攻め入る。

2 前に踏み込みながら、竹刀を左肩にかつぐ。

竹刀を左肩にかつぐことで相手の意表を突く技！

　一足一刀の間合いから攻め入り、瞬間的に素早く竹刀を左肩にかつぐように振り上げて面を打つ技です。竹刀をかつぐことで、相手の手元が上がるのを誘ったり、リズムを狂わせたりすることができます。しかし、「攻め」のない状態で行うと、相手に隙(すき)を与えることになってしまうので、必ず相手を攻めながら繰り出すことが重要です。また、かつぎ技は思い切りよく行うことも大切です。

左拳は正中線をはずさない

　竹刀を左肩にかつぐときは、左拳が正中線からはずれないように注意しましょう。左拳が左にずれてしまうと動きにムダができ、素早く打突することができません。左拳を正中線に置き、隙のない動きで素早く行うことを心がけましょう！

● **かつぎ小手、かつぎ胴も覚えよう!**

　かつぎ技は面だけでなく、かつぎ小手、かつぎ胴といった技があります。これらすべてをマスターしておきましょう!

 相手の動揺を誘いつつ、思いきって素早く面を打ちにいく。

 正しい刃すじで面を捉える。「メン!」

攻めながらかつぐこと!

　「攻め」のないかつぎ技は、動きが大きい分、相手に隙を与えてしまいます。相手を攻め、前に踏み込みながら竹刀をかつぐことで相手の意表を突くことができるのです。相手に攻撃を警戒させてこそ、かつぎ技の効果が発揮されます。

Check　かつぎ技のチャンスとは?

　かつぎ技は、相手の技が尽きた瞬間や、膠着状態となってリズムを変えたい場合に有効。また、応じる技を得意とする相手などは、攻撃に反応して手元を上げる傾向にあるので、かつぎ技は効果的だといえます。

捲き落とし面

Makiotoshi men

POINT ▶ 中段の構えから相手の竹刀を捲き落として面を打つ

1 一足一刀の間合いから攻め入り、相手が手元を上げると同時に剣先を裏へ回す。

2 1歩前進しながら、小さな半円を描く感覚で剣先を時計回りに回し、相手の竹刀を捲き落とす。

✕ 捲き技のポイントは手首を柔らかく使うこと！

まず、中段の構えから剣先を裏に回し、竹刀を相手の竹刀に密着させます。そのまま右手首のスナップを利用しながら、剣先を左から右へ（時計回りに）小さな半円を描くように回し、相手の竹刀を鋭く捲き落とします。相手の剣先が左下にはずれた瞬間、前に踏み込んで面を打ちます。このとき、中結から鍔元に向かって竹刀をすべらせる感覚で、1歩前進しながら捲き落とすこと！

‼ 捲き技のチャンスとは？

捲き技は、剣先の高い相手や右手の固い相手に有効です。剣先で攻めたときに、相手が警戒して剣先を上げたり、右手に力を入れたりする瞬間が狙い目。また、相手が剣先を上下に動かさずに固まる傾向にあることも重要なポイント。

●相手の竹刀を捲き上げて打つ

捲き技には、表から反時計回りに剣先を回し、右上に竹刀を捲き上げる方法もあります。捲き上げ小手などが代表的。

3 中結から鍔元に向かって竹刀をすべらせる感覚で相手の竹刀を左下に捲き落とす。

4 相手の剣先が左下にはずれた瞬間に、前に踏み込んで面を打つ。「メン！」

Check　右手首を柔らかく使う！

捲き技は、剣先で鋭く小さな円を描くように行う技なので、右手首を柔らかく使うことが大切です。瞬間的に素早く捲き落とすためには、左拳を動かさず、右手首のスナップだけで行うことを心がけましょう！

実戦の技を磨く！ 第3章 DVD

片手面

Katate men

POINT ▶ 遠間から踏み込んで左手だけで右面を打つ

1 遠間から攻め入り、竹刀を振り上げる。

2 振り上げる過程で、
右手を柄から離して腰に引きつける。

✕ 右手を腰に引きつけて
左手だけで右面を打つ！

　片手面は、ある意味 "飛び道具
的" な傾向にある技です。遠間から
の技として有効ですが、相手の意表
を突く技なので、頻繁（ひんぱん）に使用するこ
とはありません。竹刀を振り上げた
瞬間に、右手を柄から離して腰に引
きつけ、（歩み足で）左足から前に
踏み込みます。同時に、竹刀を左手
だけで左斜め45度の刃すじに振り
下ろし、相手の右面を捉えます。腰
を入れてしっかり打ちましょう！

右手の引きつけが重要！

　片手面の重要なポイントは、"右手の
引きつけ" です。打つ瞬間に右手を腰に
引きつけることで、腰にひねりが加わり、
その反動で身体の伸びが増し、左手の
「手の内」が締まるのです。身体の力を
有効に使うことが、片手面には不可欠！

●歩み足で左足から踏み込む!

　片手面の場合、歩み足で左足から踏み込んで右面を打ちます。左手で打ったときの身体のバランスが安定するからです。

3 左足から前に踏み込みながら、竹刀を左斜め45度の刃すじで振り下ろす。

4 右手の引きつけの反動を利用しながら、しっかりとした手の内で相手の右面を捉える。

Check 小手を打ってくる相手に対し、右足を引いて打つ場合

　相手が小手を打ってきた瞬間、右足を後ろに引いて、身体を左半身にさばきながら片手面を打つ方法もあります。この体さばきで小手打ちをかわしながら打つことができます。

KENDO COLUMN 3

夢の対決!? 千葉仁vs.千葉仁

現在、60歳を越える剣豪・千葉仁範士八段が、
全日本を3度制覇した選手時代の自分と対決したら……?

過去VS.現在、勝つのは?

もし、今の自分が現役時代の自分と戦うとすれば、とりあえず攻めていくでしょうね。若い頃の自分は、突きや小手をどんどん攻められることがイヤでしたから、完全に右小手を隠しながら中段に構えて、突きや小手を徹底的に攻めますね。そうすれば、すぐに動揺するので、絶対に下がるだろうという確信があります（笑）。右小手を完全に隠すこともポイントですね。裏から小手すり上げを狙っても、絶対に打たれますから。若い頃は、小手打ちのスピードには自信を持っていたんですよ。相手が裏からすり上げようとしたら、もらったようなものだと思っていたんです。今の自分のスピードでは勝てないので、応じるときは絶対に"表"からですよ。小手を隠しながら、どんどん攻めていけば勝機が見えてくると思いますよ。

逆に、若い頃の自分が今の自分を相手にするなら、"不意打ち"を狙ってみたいですね。だいたい、位が上の先生は、「始め」の声がかかると、じっくり構えて「さあ来い！」という感じが多いですから、その瞬間にスピードに乗った不意打ちで飛び込んでいくんです。それで一本を取れなくても、動揺を誘えますからね。今の自分は、スピードの速い現役時代の自分と戦うには、ふところに入り込んで技を封じるしかないですから、その不意打ちで中に入れないという警戒心が生まれただけでも効果は十分ですよ。でも、実際に真剣勝負で戦ったら、やはり最終的には現役時代の自分が2本勝ちすると思いますよ。なんせスピードが圧倒的に違いますからね。

心で負けることはない

たとえ勝負で過去の自分に負けたとしても、心で負けることはありません。剣の"位"が違うんです。"位"というのは、長年の経験からにじみ出る気品のようなもので、一朝一夕で身につくものではありません。生涯にわたる剣道修行には、稽古に捧げた年数や段位など、それぞれの段階を経て、はじめて体得することができたり、わかってくるものがあります。今の自分が積み重ねてきた稽古量、工夫と研究の過程、そして心の経験値は、過去の自分に決して超えることはできないのです。

第4章

基本的な稽古と
ポイント

BASIC TRAINING

INTRODUCTION 4

稽古で技を練り上げる!

剣道における稽古は、工夫と研究を重ね
て技を磨き上げると共に、厳しさの中で
人間性を向上させていくことも大切!

 **剣道で一番大切なのは
基本の稽古を重ねること!**

　剣道では、「打ち込み3年」という
言葉があるように、基本の稽古がも
っとも重要とされています。どんな
に複雑で華麗な技であっても、それ
は正確な基本動作の延長線上に過ぎ
ません。見た目のかっこよさや、派
手なテクニックばかりにとらわれて
しまうと、努力を重ねたとしても技
術の向上は難しくなります。どんな
状況であっても、正しい姿勢で、正
確な打突ができるようになるまで、
地道に基本稽古を重ねることが、実

は剣道上達への近道なのです。

　また、剣道の稽古は、単に技術の
向上だけが目的というわけではあり
ません。自ら積極的に厳しい稽古を
行うことによって、試合に勝つため
に必要な精神力や、豊かな人間性を
養うことも重要な目的としています。

　この章では、「打ち込み稽古」「掛
り稽古」「互角稽古」「試合稽古」と
いった剣道における基本的な稽古の
方法を紹介し、それぞれの正しいや
り方、ポイントなどを細かく解説し
ていきます。日々の稽古で実践でき
るよう心がけましょう!

「打ち込み稽古」で打突の機会を正確に捉える

元立ち（打突を受ける側、主に指導者や目上の人が担う）が作った打突の機会を瞬時に捉えて、正しい姿勢と刃すじに注意しながら積極的に打ち込んでいく稽古です。

●130〜131ページ

気力を尽くして打ち込む「掛り稽古」

元立ち（指導者）に、気力を尽くして全力で打ち込んでいく稽古です。元立ちは、打ち込んでくる相手（掛かる者）の正しくない打突をかわしたり、しのいだりします。

●132〜133ページ

互いに技を積極的に仕掛ける「互角稽古」

技術や気力が互角である相手と、互いに技を積極的に仕掛けていき、自己判定で勝負を競う稽古です。いろいろな技を試す場でもあります。

●134〜135ページ

実際の試合のような形式で行う「試合稽古」

習得した技のすべてを発揮し、試合形式で行う稽古です。勝敗の判定は、自己審判で行ったり、実際に審判を立てて行う場合もあります。

●136〜137ページ

打ち込み稽古

げい こ

POINT 元立ちが作った打突の機会を捉えて正確に打つ

🪷 打ち込み稽古とは？

元立ち（主に指導者）が作った打突の機会を瞬時に捉えて、積極的に打ち込んでいく稽古です。間合いや、姿勢、刃すじに注意しながら、一本打ちや連続技など、「気剣体の一致」した打突を心がけましょう！

元立ちは積極的に動いて、連続して隙を作る！

打突の機会を逃さずに打つ！

適正な間合いから、気剣体の一致した打突を心がける！

●元立ちの役割も重要！

　元立ちも動いて、正しい間合いから打たせることが大切。適切な打突機会を与え、正確な打突を引き立てましょう！

 元立ちの隙を逃さずに打つ！

　元立ちは、剣先を上げたり下げたり、手元を上げたりしながら、連続して隙を作ってきます。その隙に対して、瞬時に反応し、状況に合わせた適切な打突を繰り出していくことが大切です。打突機会を逃すことなく、一本打ち、連続技、体当たりからの引き技など、あらゆる技を素早く正確に行うよう注意しましょう。

 間合いに気をつける

　初心者の場合、まずは近間から打ち込んでいきましょう。近間からの適切な打突ができるようになったら、少しずつ間合いを遠くしていきます。無理に遠間から打ち込んでしまうと、前のめりになったり、継ぎ足を多用した2段モーションの打ち方になってしまうこともあるので、常に自分の間合いを心がけること！

 気剣体の一致を常に意識する

　打ち込み稽古は、機械的に速く打てばいいというものではありません。一本ごとに気持を込めて正確に打つことが重要です。気力、刃すじ、姿勢という一本に必要な条件を満たす「気剣体の一致」した打突を常に意識して行いましょう！

稽古
2

掛_{かか}り稽_{げい}古_こ

> **POINT** 体力の続く限り、全力で打ち込んでいく！

🏸 掛り稽古とは？

短時間に区切り、元立ちに対して、体力の続く限り全力で仕掛け技を放っていく稽古です。元立ちに、正しくない打突をかわされることで、正確な打突のコツを理解することができます。また、激しい稽古の中で、気力や体力を鍛えていきます。

常に正しい刃すじで打つこと！

正しくない打突は打たせない！

全力で気力を尽くして打つこと！

●元立ちも工夫と研究が必要！

元立ちは、相手にとって効果的な稽古となるよう常に相手の技術レベルや健康状態などを考慮して行うことが重要です。

 常に正しい姿勢、
正しい刃すじで！

機械的に打ち込むのではなく、常に気持ちを込めた正しい打突を意識することが大切です。また、元立ちに打突をかわされたら、さらに正しい打ち方ができるよう前向きな気持ちで臨むことも重要です。疲れてくると姿勢が崩れてしまうこともあるので、腰の入った正しい姿勢、適切な足さばきを心がけて行うこと！

元立ちは不正確な打突を
打たせない

元立ちは、相手に正確な打突を理解させるため、不正確な打突は竹刀でしのいだり、かわしたりして打たせないようにします。相手にとって効果的な稽古となるよう常に意識し、自ら積極的に動くことが重要。また、気力も相手以上に充実させ、相手の技のつなぎ目や、息のつなぎ目に攻めて指導効果を向上させましょう。

Check 気力を尽くして行うこと！

たとえ短時間であっても、全力で掛かることは大変ハードです。しかし、ここで手を抜いてしまうと意味がありません。最後まで気力を尽くし、全身全霊の力で行うことによって、強い精神力が養われ、体力を増強させることができるのです。

互角稽古
ごかくげいこ

🏯 互角稽古とは？

互角の相手と勝負しながら、積極的に技をしかけていく稽古です。互いに機をはかりながら攻防を繰り広げます。勝負は自己判定で行いますが、勝負にこだわらず、いろいろな技を試していくことが重要です。

積極的にいろいろな技を試そう！

勝敗にとらわれず、一本一本を大切に！

相手を尊重し、多くの人と稽古しよう！

● **技の研究をすることが重要！**

互角稽古は、実戦における技のコツを
つかむ研究の場でもあります。積極的に
技を仕掛けていろいろ試すことが大切！

 一本一本を大切にする！

基本稽古で習得した正しい動作や姿勢
を意識しながら、一本一本に気持ちを込
めて技を仕掛けていくことが重要です。
積極的に技を仕掛けながらも、気持ちの
上では実際の試合さながらの緊張感を持
って臨むことが互角稽古のポイント。い
い加減に打突することなく、常に一本を
取りにいく充実した気勢で臨みましょう。

 **実力に関係なく、
多くの人と稽古する**

強い相手だからといって臆病（おくびょう）になっ
たり、弱い相手だからといって侮（あなど）った
りすることなく、常に対等の気持ちで
臨むことが大切です。実力に関係なく、
常に全力で相手に向かっていく姿勢が、
剣道上達への第1歩です。いろいろな
タイプの相手と稽古し、技を磨（みが）いてい
きましょう。

 **目上の人には
積極的に攻めていく**

指導者など目上の人と稽古すると
きは、積極的に攻めていくようにし
ましょう。せっかく稽古をつけても
らえるのに、待ちの姿勢で臨んだら
相手に対して失礼なだけでなく、自
分のためにもなりません。恐れずに
思いきって攻めていきましょう！

試合稽古

POINT 試合形式で習得した技を自由自在に繰り出す！

●試合稽古は実戦のつもりで行う

●積極的に攻めていこう！

試合稽古とは？

　試合形式で行う稽古です。試合を前提として行いますが、勝敗ばかりに気を取られると、正しい姿勢や動作、稽古として取り組む気持ちがおろそかになってしまう傾向があるので注意しましょう。あくまでも稽古なので、思いきって攻めることが重要です。また、勝敗は自己審判で行ったり、実際に審判を立てて行う場合があります。いずれにせよ、相手を尊重しながら、勝ち負けに固執(こしつ)しない態度で臨むようにしましょう。

審判者をたてる

勝敗にとらわれず積極的に！

　実戦の緊張感を持って行いますが、勝敗ばかりに気を取られると、攻めが消極的になったり、打たれまいとして打突の際に姿勢を崩したり、基本で習得したことを実践できない場合があります。試合稽古は、試合の予習をするつもりで、思いきって攻めるよう心がけましょう！

Check 相手を尊重する気持ちで臨む

　勝敗の判定を自己審判で行う場合、自分の打突が有効であることを強引に主張したり、相手の有効打突を否定したりする態度は好ましくありません。常に相手を尊重し、お互いに認め合う気持ちを持って試合稽古に臨むことが一番大切なのです！

KENDO COLUMN 4

 # 全日本選手権大会の思い出

剣道日本一を決める最高峰の戦い！　弱冠22歳で初出場初優勝
を飾ってから、10回に渡って出場した大会の思い出を語る！

🏸 まさか自分が全日本に？

　全日本選手権には、22歳のとき、1966年（昭和41年）に行われた第14回大会で初めて出場しました。その当時は、東京都の予選で3位に入賞すれば本選に出場できたんですが、予選には警視庁の出場枠というものがあったんです。警視庁の枠は15人くらいだったと思いますが、その頃は25〜26歳以上の先輩方が出場するというのが慣例だったんですね。いつかは出場したいと思っていましたが、まさか自分が出場できるなんて、そのときは夢にも思っていなかったんですよ。主席師範の計らいで、出場枠の半分はこれまで通り代表の先輩方、残りの半分を5人1組の総当たりリーグ戦で決めることになったんです。40〜50人の中から幸運にも勝ち上がることができて、警視庁の代表として東京都予選に出場しました。そして、東京予選2位の成績で、ついに憧れの舞台に立つことになったんです。

🏸 無欲で初優勝を果たす！

　全日本選手権は、全国から名剣士が集まる大会ですから、到底自分が勝てるなんて思っていませんでした。会場に出発する前に、「残念会よろしくね」なんて言ってましたからね。ところが、いざ試合になると「あれ、なんで小手が空いてるの？」みたいな感じで、自分でも不思議に思うほど相手の剣が見えて、あれよあれよで勝ち上がってしまったんです。準決勝以外は、3〜4分で勝負がついていたと思います。結局、初出場初優勝を決めたんですが、翌日の新聞を見るまでは信じられませんでしたね。翌年も決勝まで上がったんですが、そのときは負けてしまいました。私は2年おきに3回優勝しているんですが、人間どこかで勝ちたいという欲が出てくるんでしょうね。頭では謙虚にいこうとしても、試合の土壇場で勝ちたいという欲が出てくるから、負けてしまうんです。3回目の優勝のときは、この年が最後のチャンスだと思って、禁酒したり、自分が好きなものを全て我慢して臨みました。そうでもしないと勝てないということは、それだけ自分の心が弱いということかもしれませんね。トータルで10回出場しましたが、全日本での経験は自分にとってよい修行になったと思います。

第5章

剣豪・千葉 仁 直伝
「技の極意」
THE SECRET OF THE TECHNIQUE

極意 1 水平打ち

✕ 自由自在に竹刀を操作
するための稽古法！

　剣道には、すり上げ技、返し技な
ど手首を柔らかく使う技が数多くあ
ります。手首を柔らかくし、あらゆ
る打突をスムーズにする稽古法とし
て「水平打ち」を紹介しましょう。
手首を90度という可動範囲ギリギ
リの角度まで返し、竹刀を頭上で水
平に回して面や胴を打ちます。この
運動によって手首、ヒジ、肩の関節
が柔らかくなるだけでなく、竹刀の
握りや使い方も柔らかくなります。

⚠ すべての技に役立つ！

　水平打ちを練習することによって、剣
道のあらゆる技をスムーズに行うことが
できます。また、肩から手首の関節が柔
らかくなることで、中段に構えたときに
自然で柔らかい構えとなり、そこから自
由自在に技を繰り出せるようになります。

●しっかり腕を伸ばすこと！

　水平に打ったときに、しっかりと腕を伸ばすことが重要です。鍔元から少し離して竹刀を握ると行いやすくなります。

Check　肩、ヒジ、手首の関節を柔らかく！

　竹刀を頭上に大きく振りかぶり、水平に竹刀を回します。打つ瞬間に腕を伸ばし、刃すじも水平の角度にすることがポイント。この動作は、肩、ヒジ、手首の関節を柔らかく使わなければ不可能なのです！

出ばな技の極意

極意 2

相手が前に出てくる力を利用して小さく鋭く打つ

　相手が打とうとする"起こり"を捉える出ばな技は、高度で難しい技ですが、これを稽古することによって集中力が増すので、剣道上達にはとてもよい技です。まず、中段の構えから1歩攻め入り、相手が打ってくる瞬間に踏み込みます。相手の前に出る力を利用できるので、手首のスナップだけの打突でも一本を取れます。最短距離の刃すじで、小さく鋭く打つことが出ばな技のポイント！

● 一本打ち

出ばな技の場合、相手も前に出てくるので一本打ちのような力はいらない

●竹刀を振り上げない！

竹刀を大きく振り上げてしまうと、相手の打突に遅れてしまいます。竹刀は必ず最短の軌道で小さく振ること！

 相手を誘い出す！

出ばな技は、一足一刀の間合いから1歩攻め入ることが基本です。剣先の攻めによって、相手が面を打とうと反応する瞬間を捉えます。相手の打突に遅れないためには、待つのではなく、相手を誘い出すということが重要です。また、間合いの攻防で打ち気を見せながら、相手の反応の特徴を見極めておくことも大切！

 手首のスナップだけで打つ

相手が前に出てくる力を"5"とするなら、自分は"5"の力で打ちにいけば"5＋5＝10"となり、通常より軽い力でも十分に一本の条件を満たすことができるといえます。すなわち、手首のスナップだけの小さな振りでも、一本を取れるというわけです。普段から手首のスナップで打つ練習をするとよいでしょう。

Check 間合いに注意する！

相手が打ってくる分、通常とは打突する間合いが違ってきます。そのため、自分の打間をきちんと見極めることが大切。"起こり"を捉えたときに、打間を誤って元打ちになることのないよう注意しましょう。

応じる技の極意

極意 3

POINT 拇指球（親指の付け根）を内側にしぼり入れる！

🛡 小手すり上げのポイント

相手の小手打ちをすり上げる場合、竹刀の中ほどより先で迎えにいくように前ですり上げることが大切です。また、左手が右手の下にくるくらいに、右手の拇指球を内側にしぼり入れてすり上げることが重要です。

右半円を描くように、剣先を前に向けてすり上げる！

右手の拇指球を内側にしぼり入れる！

左手が右手の下につくくらい内側にしぼる！

●剣先を立てない！

剣先を立ててしまうと、2段モーションになってしまいます。一拍子で打つためには、必ず前ですり上げること！

応じ方のポイント

面返し胴などの際に、面打ちを竹刀で受けるときは、すり上げ技のように行います。右手の力を抜き、左手の拇指球を内側にしぼり入れる感覚で前に向かって竹刀を出していくと、スムーズに技を繰り出せます。

左手の拇指球を内側にしぼり入れ、前にすり上げるように行う！

右手は竹刀を支える程度の力で十分！

手首を柔らかく使うことを常に意識する！

極意 4

間合いの攻防の基本

❌ 間合いの攻防の基本は
距離感と剣先での崩し！

間合いの攻防を理解できれば、多くの打突を可能にすることができます。まずは、遠間、触刃の間（剣先が触れる間合い）、一足一刀の間合い、自分の打間など距離感を把握することが大切。さらに、剣先で相手の竹刀を押さえたり、裏に回して打ち気を見せるなどして、相手の剣先を正中線からはずす"崩し"を行うことが重要です。崩しに対する相手の反応を研究してみましょう！

 初歩的な攻め方

「攻め」は、打間に入って打ち気を見せることから始まり、その反応を見極めることが基本となります。

1 打ち気を見せる

▼

2 相手の反応を見極める

▼

3 その反応に適切な技を使う

●攻めてから打つこと！

　なんの攻めもなく、むやみに打ち込んではいけません！　必ず相手を剣先で攻めてから打つことを心がけましょう！

1 打ち気を見せる

　相手が警戒する間合いは、確実に打突が届く距離である打間です。一足一刀の間合いから、「打つぞ！」という気配を見せながら打間に入ると、相手は本能的に何らかの反応を示します。後ろに下がる人もいれば、手元を上げて防御しようとする人もいます。まずは、打ち気を見せて、相手の反応を引き出しましょう！

2 相手の反応を見極める

　打間に攻め入って、剣先で相手の竹刀を押さえたり、裏に回して小手を狙う気配を見せると、相手は本能的に正中線を取り返そうと反発してくるものです。剣先を相手の右拳に向けて下を攻めれば、上から抑え込もうとしたり、面を打ちにくるかもしれません。揺さぶりに対する相手のあらゆる反応を見極めましょう！

3 その反応に適切な技を使う

　"剣先の攻め"による相手の反応を見極めたら、瞬時に適切な技を繰り出します。剣先を表から押さえ、相手がそれを押し返してくれば、小手に隙ができます。剣先を裏から押さえ、それを押し返してくれば面に隙ができます。あらゆる反応、隙に対してできるだけ素早く反応し、有効な技を使うようにしましょう！

極意
5

タイプ別攻略法・その1

 背の高い相手に対する攻略法

　背の高い相手に対した場合、自分よりも相手の方がリーチが長い分、自分にとっては遠間であっても、相手には打間である可能性があります。このような間合いで攻防することは、とても危険です。そのため、自分の間合いに攻め入る必要があり

ます。もし、相手が攻めてきたら、すかさずふところに飛び込んで、間合いで相手の竹刀を封じてしまうくらいの気持ちで臨むとよいでしょう。ふところに攻め入り、相手の手元が上がった瞬間に小手を打ったり、胴を打ったりすることが有効な攻撃手段です。とにかく、自分の間合いで戦うことを心がけましょう！

遠間から攻めるのはNG

NG!

自分の間合いに入って攻める

間合いで技を封じる！

手元が上がったところを小手！

●**身長の違いは間合いがポイント！**

　身長の高低差は、リーチに大きな違いがあります。このことは間合いに影響し、距離感がポイントとなります！

 背の低い相手に対する攻略法

　背の低い相手に対した場合は、背の高い相手に対したときと逆の発想で攻略します。相手はふところに攻め入ろうとするので、剣先で上から抑え込むように攻めつつ、その動き出しを待って、"起こり"を捉える出ばな技を狙うのがよいでしょう。

相手は打間に入ろうとする

上から抑え込んで攻める

相手が入ろうと動き出すのを待つ

起こりを捉える

タイプ別攻略法・その2

> **POINT** 剣先の高い相手、低い相手に対する攻め方は？

剣先の高い相手に対する攻略法

剣先の高い相手を攻める場合は、まず、相手の右拳に剣先を向けて攻めること（拳攻め）で相手を牽制します。このとき注意すべき点は、相手の得意な形に合わせないこと。下から拳を攻めることで、相手に剣先を下げさせ、構えを崩すことが基本です。また、逆に上を攻めて、すり上げ技の好機を誘ったり、"起こり"を捉えることも効果的です。

剣先の高い相手

拳攻めで下を攻める

崩れない場合は、瞬間的に打ち気を見せる

上からの抑えは、払い上げる

剣先を下げさせ、リズムを狂わせる

●相手のリズムを崩す！

どちらのタイプも、得意な構えを剣先の攻めによって崩すことが大切。相手のペースに合わせないこと！

 剣先の低い相手に対する攻略法

剣先の低い相手は、身体の真ん中に剣先が向いているため、攻めにくいタイプです。こういう場合は、突きを攻めて牽制し、剣先を上げさせるのが基本です。また、相手が反応しなければ、内小手（小手の内側）から打ち込んだり、表から相手の鍔

元を打ち落とすことも有効です。攻めによって相手の手元が上がった瞬間に小手を狙うのもよいでしょう。

剣先の低い相手

突きを狙う！

相手の手元が上がったら……

小手を打つ！

極意 7 タイプ別攻略法・その3

足幅の広い相手に対する攻略法

足幅の広い相手は、身体の構造上、一足一刀の間合いから踏み込んでも面には届きません。しかし、「攻め」のない状態で先に打ち込んでいくと、打突を抜かれたり、出ばな小手を取られてしまう危険があります。こういう場合は、打ち気を見せなが

ら相手をじらすのが効果的。じれた相手が打ち込むために左足を引きつけた瞬間を狙って打つのです。

足幅の広い相手

一足一刀の間合いから、跳んでくることはない

バランス的にこのままでは打てない

打ち気を見せながら、相手をじらし……

起こりを捉える！

●基本的に"待ち剣"の人が多い

　足幅に特徴のある相手は、そのまま即座に跳べないため、自分から打ってでない"待ち剣"タイプが多いといえます。

 足幅の狭い相手に対する攻略法

　足幅の広い相手と同様、狭い相手もそのまま跳んでくることはありません。竹刀での受け（防御）に強いタイプといえます。こういうタイプは、そのまま打ち込んでいくと、すり上げ技や返し技が得意なので大変危険。剣先で上を攻めて誘ったり、

かつぎ小手などでリズムを狂わせて打つと効果を発揮します。積極的な攻撃でリズムを崩しましょう。

足幅の狭い相手

このタイプは、すり上げや返しが得意

守りが固いのを、逆に攻撃に出て倒す

右足を前に出していなければ起こりを捉えられることはない

かつぎ小手や、面と見せかけての小手などが有効

タイプ別攻略法・その4

 POINT 相手の得意なスタイルに応じた攻め方とは？

面、小手が得意な相手に対する攻略法

面や小手が得意な相手に対する攻め方を覚えておきましょう。まず、相手が面や小手にくるからといって、はじめから出ばな技を合わせようなどと狙っていくと、逆に相手のスピードや勢いに打ち負けてしまう可能性があります。こういう場合は、相手の得意技である面打ちなどを剣先の攻めによって誘い出し、打ってきたところを間合いをつめたり、竹刀で押さえ込んだりして、技を封じてしまいます。そうすることで相手に迷いが生じ、打つ前にフェイントをかけてきたり、躊躇したりしはじめます。この迷った瞬間を捉えることがこのタイプには有効です。

相手の得意技を引き出した上で失敗させ、自信を失わせる

心の迷いは必ずスキを生む！じっくり攻めて自分の技を出す

●相手の自信を失わせる！

　得意技を失敗させて、相手に自信を失わせることができれば、心に迷いが生じ、そこから必ず隙が生まれます！

 応じる技が得意な相手に対する攻略法

　このタイプの相手は、剣先の攻めに反応しやすいのが特徴です。そのため、積極的に攻めを仕掛けることが攻略のポイントとなります。頻繁に攻めを仕掛けながら実際には打たず、相手にリズムやタイミングがとりづらいという印象を与えます。この揺さぶりによって、相手に迷いが生じた瞬間を狙い、かつぎ小手やリズムを変えて面を打つと効果的です。

待っているのを承知で、どんどん攻めを仕掛けていく

相手の心に迷いが生じたところで……

かつぎ小手、リズムを変えての面などを打つ

極意 9 上段技・その1

剣先を右斜め45度に傾ける

足は、左足を前に出して構える

左拳は左前額部から拳1つ分前に！

背すじを伸ばし、正しい姿勢を保つ！

 上段の構え方

上段の構えとは、中段の構えから左足を前に出しつつ、そこから両手を頭上に振り上げた状態で維持する構え方です。小手、突き、胴という打突部位をがら空きにする形になるので、「どこからでも打ってこい」という強い気持ちがなければできない構えといえます。また、上段技は、中段の技がしっかりできていること

が前提となるので、まずは中段の基本を確実に身につけることが大切です。基本的な構え方は、中段に構えた状態から左足を前に出し、右足のかかとを少し上げます。両手は中段の握りのまま、左手を左前額部の拳1つ上にくるよう持っていき、剣先を右斜め45度に傾けて構えます。上段技は相打ちの覚悟で臨むことが大切。多少の攻めでは、構えを崩さないという意識が重要です。

●構えを崩さないこと！

　構えが崩れた状態で打つと、正確さを欠くだけでなく、相手に大きな隙を与えてしまうことになるので注意しましょう！

 上段からの面打ち

　正しい姿勢の上段の構えから、左足を前に踏み込んで、左手一本で面を打ちます。このとき、左手は自分の胸の高さまで振り下ろし、親指が下を向くようしっかりと内側へしぼります。また、竹刀が相手の面に当たる瞬間に、柄から離した右手を腰に強く引きつけます。この動作の反動を利用することによって、左手のスピードと打突の強度が増すのです。

 正しい姿勢の上段の構えから。

 左足から前に踏み込みながら、右手を柄から離し、左手を振り下ろす。

 右手を腰に引きつける反動を利用しながら左手で面を打つ。

Check 右手の引きつけが重要！

　片手面は竹刀が面に当たる瞬間に、右手を腰に強く引きつける動作がポイント。この反動によって、打突のスピードと強度がアップします。

 左手は自分の胸の高さまで振り下ろし、親指が下を向くくらい内側にしぼる。

上段技・その2

POINT 相手の攻めに動揺せず、堂々とした構えで打つ

 上段からの小手打ち

上段の場合、相手は左拳に剣先を向けて攻めるため、そのままの状態だと小手を打つことはできません。まず、面を打つと見せかけて相手の

剣先を上げさせることが必要となります。そして、相手の剣先が自分の左拳より身体の内側にくるよう、左足を左斜め前に出します。同時に左手を振り下ろし、上からの正しい刃すじでしっかりと小手を捉えます。

 上段の構えから。相手に面を警戒させる。

 相手の剣先が自分の左拳より身体の内側にくるよう左斜め前に左足を踏み込む。

 2と同時に左手を振り下ろし、刃すじ正しく小手を打つ。

Check 左斜め前に身体をさばく

相手の竹刀の裏に回して小手を打つためには、手を左にずらすのではなく、左足を左斜め前に出し、身体をさばくことで裏に回します。

別アングル

横から回さずに、上からの正しい刃すじでしっかり小手を捉える。

● **中段に構えたときの竹刀を意識**

　上段に構えたときの間合いは、中段に構えたときの竹刀の位置を自分の前の空間にイメージしておくとよいでしょう！

 上段でのかけひき

　上段に対したときは、突きと小手を攻めるのが基本です。そのため、上段でのかけひきは、相手の小手打ちの起こりを捉えて出ばな面を打っ

たり、相手の突きを抜きながら面を打つなど、相手の突きや小手に対する対処法をきちんと身につけておくことが大切です。また、上段での微妙な間合いも研究し、自分の間合いを把握しておくことも必要です。

面を打つと見せかけて小手を狙う

小手を打つと見せかけて面を狙う

相手の攻めに動揺せず、構えを崩さない

自分の間合いを把握しておく！

159

KENDO COLUMN 5

剣道のちょっと聞いてみたい話

誰しも一度は聞いてみたい！
千葉仁・範士八段が語る、剣道の面白い話、体験エピソード！

全日本の優勝者が日本一？

全日本選手権の優勝者が、本当の日本一かと聞かれれば、答えはNOだと思います。確かに、その年の全国予選を勝ち抜いてきた剣士が集まる大会ですから、とても権威あるものだということには違いありません。しかし、剣道の修行はそれで終わりではないのです。名剣士たちとの勝負から得る経験が一番大切なことであって、全日本選手権も剣道修行の1つと捉えることが望ましいのではないかと思います。実際、私も全日本選手権で優勝した当時、稽古では歯が立たないという先生や先輩方がたくさんいましたからね。

上段VS.二刀流

ある年の警察全国大会の団体決勝のときに二刀流の選手と初めて対戦したんですが、チームの勝利も決まっていたので、上段で戦ってみようと思ったんです。小太刀を中段に構えて、大太刀を上段に構えるのが二刀流の構えですが、小太刀は打突されても無効なので、気にしないようにしたんです。"相上段"の感覚で戦ってみたら、うまくかみ合って勝つことができましたね。

漫画みたいな特訓は？

一流選手ならいろいろと秘密特訓みたいなことはしていると思いますよ。私も剣先にチョークを塗って、正確に小手の同じ箇所を打つための特訓をしたり、木を天井からぶら下げて両端だけを捉える特訓などをした経験があります。そういうことは、人にはあまり言いませんけどね。

最強の剣士

私が出会った中で、本当に強かったという名剣士の名を挙げるとすれば、全日本選手権の13回大会で優勝された西山泰弘先生や、現役時代のライバルだった大阪の有馬光男さん、そして、警視庁の名誉師範である佐藤博信先生が真っ先に頭に浮かびます。西山先生は、当時、練習試合も含めて60を超える連勝記録を持っていて、負けたところを見たことがないような人でした。有馬さんは、間の駆け引きもうまく、技が多彩な勝負師でしたね。佐藤先生は、稽古ではまるで歯が立たないほど強い先生で、もし私と年代が同じで試合で戦うことがあったとしたら勝てなかったと思いますね。

第**6**章

補助運動 &
用具のケア

SUPPORTING EXERCISE & THE CARE FOR GOODS

補助運動 1

ウォーミングアップ&クーリングダウン

POINT ケガの予防や疲労回復には欠かせない！

🏯 ウォーミングアップ（準備運動）

　稽古を始める前には、必ず準備運動を行いましょう。この準備運動によって、筋肉や関節の緊張がほぐれると同時に、体温が上昇します。稽古での動きが滑らかになるだけでなく、準備運動は急激な運動によるケガの予防や、集中力を高めることにも大きな効果を発揮します。

●ウォーミングアップの効果

1. 身体の敏しょう性が向上する
2. 精神の集中力が高まる
3. 事故やケガを予防できる

●ウォーミングアップの方法

★ポイント　長くやり過ぎるのは逆効果！
適正な時間内で正しい方法で行おう！

1. 筋肉や関節をほぐしながら身体を温める
2. ストレッチからジョギングというように、静的なものから動的なものへ徐々に移行する
3. 素振りや空間打突を行う
4. 準備運動の時間は10～15分（寒い季節は長め、暑い季節は短めに）

●最初から激しい運動をしない

●長時間やり過ぎない
10～15分が目安

●精神的にも効果がある！

準備運動や整理運動は、稽古前の集中力を高めたり、稽古後のリラクゼーションにも大きな効果を発揮します！

クーリングダウン（整理運動）

稽古終了後に行うのが、整理運動です。整理運動を正しく行えば、疲労回復の効果が飛躍的にアップします。準備運動と比較すると、整理運動は積極的に行われていない傾向にありますが、激しい稽古の直後、急に身体の動きを止めてしまうと、身体の中の疲労物質が蓄積されてしま

うのです。疲労物質の蓄積は、疲労回復の妨げになるだけでなく、筋肉痛や腰痛などのあらゆる傷害を引き起こす原因となります。そのため、稽古が終わった後には、必ず整理運動を行い、ストレッチなどで身体をほぐしながら徐々に休めていく必要があるのです。また、精神的なリラクゼーションという意味でも、整理運動を大いに活用しましょう！

●クーリングダウンの方法

★ポイント　必ず稽古後すぐに行うこと！時間が空くと意味がない！

1 稽古終了後、速やかに行う
2 スローペースで徐々に運動を軽くしていく
3 ストレッチ以外に、スポーツマッサージなども効果がある
4 基本は15〜20分くらい行い、稽古の度合いによって調整する

●練習後すみやかに行う

●激しい運動はNG！

補助運動 **2**

ストレッチ

POINT 基本的なストレッチの方法を覚えよう！

🏯 ストレッチのポイント

　ストレッチは、筋肉や関節を柔らかくほぐすことで、身体の可動範囲を広げたり、ケガの予防、精神統一、疲労回復などに効果を発揮する柔軟体操です。基本的な方法は、身体の筋肉や靭帯、関節などをゆっくりと伸ばし、そのままの姿勢を10〜20秒くらい維持するように行います。ストレッチのポイントは、筋肉などを伸ばす際に、ゆっくりと呼吸しながらその部位に意識を集中させること。1人で行う方法や、2人1組で行う方法を織り交ぜながら、正しい手順でゆっくり行いましょう。

●2人で行うストレッチ

開脚したまま、腕を上下させて上体を横に倒す。

足の裏を合わせた姿勢で上体を前に折る。

馬乗りで負荷をかけつつ、腰を屈伸させる。

急激に行わず、ゆっくりと動かすこと！

●急激に行わないこと！

ストレッチは、ゆっくりとしたペースで
徐々に身体の各部を伸ばしていきます。決
して急激に行ってはいけません！

●1人で行うストレッチ

腕を持って
横に身体を引っ張る。

頭を持って
前に首を曲げる。

頭を持って
横に首を曲げる。

腕の筋肉や
肩のすじを伸ばす。

アキレス腱を伸ばす。

前屈で腰やヒザの
すじを伸ばす。

足の裏を合わせ、
股関節を開く。

開脚で股関節や足
の筋を伸ばす。

片足を伸ばし、横
に身体を曲げる。

開脚したまま、
前屈する。

165

補助運動 **3**

トレーニング

POINT 剣道に必要な基礎体力を鍛える！

敏しょう性トレーニング

剣道は、目的の方向に身体を素早く動かす"敏しょう性"が要求されます。ある刺激に対して判断を下す時間、その判断から動作を起こす時間が短いほど好ましく、しかもそれに正確性が伴うと、スピーディな攻防で優位に立てます。敏しょう性を高めるには、筋力、瞬発力、柔軟性など多くの要素が必要になりますが、相手の隙を連続して捉える"打ち込み稽古"がもっとも効果的です。

●ココに注意！

1 最初はスピードより正確さを重視！

2 正確で軽快な足さばきを意識する

3 腕や肩の力を抜いて打突する

4 正確な打突を体得したらスピードアップ！

持久力トレーニング

運動を長く続ける能力が持久力です。剣道は呼吸を調整しながら動く有酸素運動と、呼吸しないで瞬発的に動く無酸素運動を繰り返して行う競技です。総合的な持久力を高めるには、打ち込み稽古や掛り稽古、切り返しなどで身につけることができますが、剣道の稽古以外に20〜30分、慣れたら60分くらいのウォーキングなども効果があります。また、筋肉の持久力を養うために、腕立て伏せや腹筋・背筋運動、縄跳びなどを行うのもよいでしょう。

●基本的なトレーニング方法

1 掛り稽古、打ち込み稽古、切り返しなど
2 ウォーキング（20〜30分、慣れたら60分）
3 軽いジョギング
4 腕立て伏せ、腹筋・背筋運動
5 スタートダッシュ、坂道ダッシュ
6 縄跳び

●ウォーキングも効果的

●総合的なトレーニングを心がけよう！

剣道は、筋力や持久力などあらゆる能力を必要とします。いずれかに偏った鍛え方をせず、バランスよく行うこと！

🏸 筋力トレーニング

剣道は、素早く踏み込むための脚力や腹筋力、竹刀を自由自在に操るための腕の筋力、背筋力などが要求されます。すべての打突の基礎は、下半身の力をベースとしますが、腕、肩、手首の力も伴わなければ、素早く正確な打突を行うことはできません。筋力の場合はとくに、偏った鍛え方をすると、剣道の動作に弊害を与えることもあるので、バランスよく行うよう注意しましょう。

●筋力トレーニングの基本			
	負荷	回数	セット
筋力	80%以上	5回以上	3セット
筋肥大	60〜80%	10〜15回	3〜5セット
筋持久力	60〜80%	20回以上	3セット
パワー	40〜60%	10〜15回	3セット

※負荷は最大筋力を100%とした場合

ウェイトトレーニング

バーベルやダンベルを利用するトレーニングです。週に3回くらいのペースで行うと効果があります。1回だけ持ち上げられる重さの3分の2くらいの負荷で、10〜15回を最低3セットの目安で行いましょう。

スクワット

下半身の力を強化するトレーニングです。肩にバーベルをかつぎ、背すじを伸ばした姿勢のまま、ヒザを曲げてゆっくりと腰を落とします。太腿が床と平行になるくらいを目安に、そこから再び立ち上がります。

アーム・プルオーバー

主に上半身の力を鍛えるトレーニングです。床やベンチに仰向けになり、両腕を頭上に伸ばします。その状態でバーベルを持ち、胸の真上にバーベルを引き上げます。

チューブトレーニング

市販のゴム製のチューブやタイヤのチューブなどを利用するトレーニング。鍛えたい箇所に負荷を与えながら、引く動作などの反復運動によって筋力を高めます。

剣道の常識 1

応急処置の方法

POINT ▶ 稽古中のアクシデントにも備えておこう！

 スポーツ外傷とスポーツ障害

スポーツ外傷は、身体に1回の大きな衝撃が加わることで起こるケガのことで、スポーツ障害は動作の繰り返しによって起こる故障のことを表します。故障は日々のケアによって予防しますが、突発的なケガが発生した場合は、応急処置が必要です。

> スポーツ外傷（ケガ）↓
> 骨折、脱臼、肉ばなれ、捻挫、打撲など
>
> スポーツ障害（故障）↓
> ジャンパーズ・ニー、オスグッド病、シンスプリント、腰痛など

 応急処置の重要性

稽古中にケガが発生した場合、病院に行くまでの間に適切な応急処置を行うことができれば、損傷部位の障害を最小限に抑えることができます。しかし、意識障害などの症状があるときは、むやみに動かさず、救急車や医師を呼ぶようにしましょう。

> ●こんな場合は救急車か医師に！
>
> 意識障害↓
> 頭部や頸部の打撲によるもの、大量の出血によるものなど
>
> ショック↓
> 足やヒザ、ヒジの脱臼、骨折、けいれん発作など

RICE処置

rest（安静）、ice（冷却）、compression（圧迫）、elevation（挙上）という4つの処置の頭文字をとったRICE処置は、基本的な応急処置の方法です。捻挫や肉ばなれなどが発生した場合に、速やかにこの方法を行うと効果的です。

> **R** rest→安静
> **I** ice→冷却
> **C** compression→圧迫
> **E** elevation→挙上

●剣道に見られるケガの症例

　剣道の一般的なケガの症例としては、足首の捻挫、ヒジやヒザの打撲、アキレス腱の断裂、腰痛、骨折や脱臼などです。

●RICE処置の方法　【RICE処置に必要な機材】

アイスボックスに氷

ビニール袋

アイスバッグ

包帯（バンテージ）

弾力包帯

テーピングパッド

rest（安静）

患部をテーピングなどで固定し、動かさないようにする。患部の腫れや血管の損傷などを防ぐ。

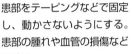

compression（圧迫）

スポンジやテーピングパッドを患部に当て、弾力包帯などで軽く圧迫しながら固定する。患部の内出血などを防ぐ。

ice（冷却）

ビニール袋やアイスバッグに氷を入れ、中の空気を吸い出し、それを患部に当てて冷やす。15〜20分くらい冷やし、痛みが出たら再び冷やす。

elevation（挙上）

患部を心臓より高い位置に上げる。患部の腫れを防ぐ。

剣道着と袴のたたみ方

POINT 剣道着や袴を正しくたたむことも修行のうち！

剣道着のたたみ方

剣道着や袴を正しくたたむことも、剣道の大切な修行のひとつです。いくら技術が優れていても、自分が愛用する防具や袴を大切にできなければ、その心は必ず剣に現れます。きちんと覚えておきましょう！

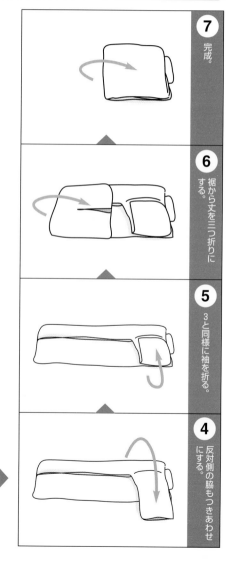

7 完成。

6 裾から丈を三つ折りにする。

5 3と同様に袖を折る。

4 反対側の脇もつきあわせにする。

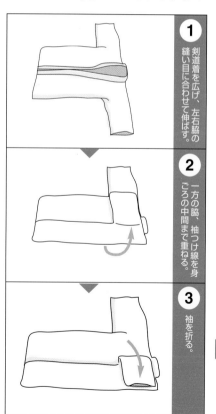

1 剣道着を広げ、左右脇の縫い目に合わせて伸ばす。

2 一方の脇、袖つけ線を身ごろの中間まで重ねる。

3 袖を折る。

袴のたたみ方

袴は、ひだをきちんと整え、左右を合わせてたたみます。前紐と後紐も丁寧にたたむよう心がけること！

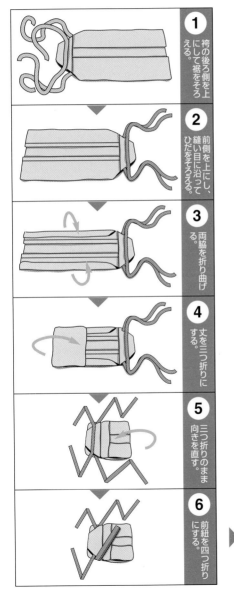

1 袴の後ろ側を上にして裾をそろえる。

2 前側を上にし、縫い目に沿ってひだをそろえる。

3 両脇を折り曲げる。

4 丈を三つ折りにする。

5 三つ折りのまま向きを直す。

6 前紐を四つ折りにする。

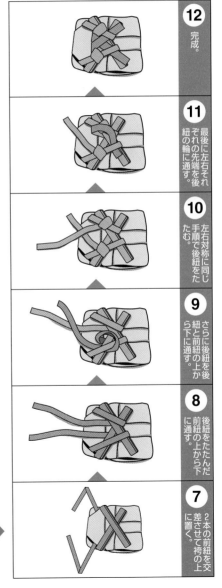

12 完成。

11 最後に左右それぞれの先端を後紐の輪に通す。

10 左右対称に同じ手順で後紐をたたむ。

9 さらに後紐を後紐と前紐の上から下に通す。

8 後紐をたたんだ前紐の上から下に通す。

7 2本の前紐を交差させて袴の上に置く。

竹刀のケアについて

POINT 事故防止のためにも竹刀の手入れは欠かせない！

 竹刀の手入れのやり方

剣道は激しい格闘技ですが、大きな事故が少ない競技といえます。しかし、破損した竹刀や不備のある竹刀を使用することで、深刻な事故が発生する可能性もあるのです。常日頃から竹刀の手入れを入念に行い、安全な竹刀で稽古に臨みましょう。また、試合では竹刀の規定があり、計量などのチェックが行われます。試合前には、必ず竹刀の手入れを怠らないように注意しましょう。

●竹刀の基準

	性別	中学生	高校生	大学・一般
長さ	共通	114cm 以下	117cm 以下	120cm 以下
重さ	男性	440g 以上	480g 以上	510g 以上
	女性	400g 以上	420g 以上	440g 以上
太さ（先革）	男性	25mm 以上	26mm 以上	26mm 以上
	女性	24mm 以上	25mm 以上	25mm 以上

●使用してはいけない竹刀の例

1 竹が折れてささくれのある竹刀
2 竹に虫食いや傷のある竹刀
3 先革の破れた竹刀
4 中結が切れたりゆるんでいる竹刀
5 柄革が伸びて弦がゆるんでいる竹刀
6 ちぎり（竹刀の握りの部分にある鉄片）が不完全な竹刀
7 鍔が固定していない竹刀
8 セロテープなどで補修した竹刀
9 先ゴム、ちぎり以外のものを挿入した竹刀

●竹刀のケアの方法

1 竹に植物油を染み込ませる。または、クルミの実をつぶして布で包み、その油で竹を磨く。
2 ひび割れのある竹は取り替える。
3 破損している先革や柄革、中結などは新品に取り替える。
4 先ゴム、ちぎりをつける。
5 中結を正しい位置（剣先から約25cm）で固定する。

●稽古前に全員でチェックしよう！

　稽古を始める前に、竹刀に不備がない
か、全員で竹刀を点検してみることも事
故防止のためには効果的な方法です。

●先革と弦の結び方

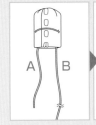

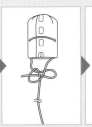

| 先革の穴に弦を通し、Aを約5cm出す。 | Bに輪を作る。 | Bの輪にAを通す。 | Aをさらに輪に通す。 | 結び目を押さえBを引っ張って完成。 |

●弦と柄革の結び方

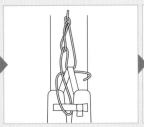
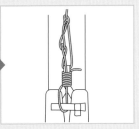

| 図のように、輪を作りながら弦を柄革につなぐ。 | 柄革の下を通し、弦を巻きつける。 | 完成。 |

●中ゆいの結び方

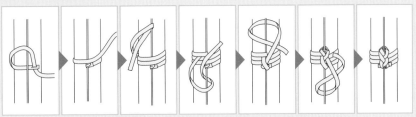

| 切り込みのある先端を弦の下に通す。 | 反対側の先端を切り込みの中に通す。 | ザラザラする面を表に3回巻きつける。 | 先端を弦の下に通して巻きつける。 | 弦の下から中結の輪の中に通す。 | 下側でさらに弦の下から輪に通す。 | 完成。 |

剣道の常識 **4**

作法を覚えよう

POINT 剣道の作法を正しく行えるようにしよう！

●提刀姿勢

●帯刀姿勢

🗡 剣道の作法

　剣道には、竹刀を構えるときや納めるときにも作法があります。まず、鍔に親指をかけずに弦を下側に向ける自然体の姿勢が「提刀」です。次に、左手を腰に引きつけ、鍔に親指をかけた姿勢「帯刀」に移行します。この姿勢から刀を抜くように竹刀を持ち上げ、右足をやや前に出し、両かかとの上にお尻を乗せる「そんきょ」の姿勢に入ります。そこから立ち上がり、中段に構えるのです。

●そんきょ

●竹刀を納めるときは？

竹刀を納めるときは、「中段の構え」から「そんきょ」で竹刀を納め、「帯刀」、「提刀」、最後に立礼を行います。

竹刀の構え方

1 帯刀の姿勢。

2 右足を前に出しながら竹刀を抜く。

3 中段に構えるように竹刀を握る。

4 腰を落としてそんきょの姿勢に。

5 立ち上がって中段に構える。

竹刀の納め方

1 中段の構え。

2 腰を落としてそんきょの姿勢に。

3 竹刀を左手に納める。

4 立ち上がって帯刀の姿勢に。

5 左手を下ろし、提刀の姿勢に。

●著者紹介

千葉　仁（ちば　まさし）

1944年4月20日、宮城県生まれ。範士八段。小牛田農林高
校から警視庁に奉職。全日本選手権優勝3回、準優勝2回、
世界選手権団体優勝2回など数々の栄光に輝く。2004年に
定年退職後、現在は警視庁名誉師範、一橋大学剣道師範を
務める。

【出演協力】

林　貴雄（はやし　たかお）

1962年5月17日、神奈川県生まれ。教士七段。小学校5年生から
剣道を始め、国士舘大学を卒業後、東京都府中市明星中学高等
学校剣道部コーチに就任する。1990年、第22回全国教職員剣道
大会に出場。現在は、府中市剣道連盟副会長を務める。

スポーツ・ステップアップDVDシリーズ
剣道パーフェクトマスター

著　者	千　葉　　　仁
発行者	富　永　靖　弘
印刷所	㈲　T　P　S　21

発行所　東京都台東区　株式　**新星出版社**
　　　　台東4丁目7　会社
　　　　〒110-0016　☎03(3831)0743　振替00140-1-72233
　　　　URL http://www.shin-sei.co.jp/

©Masashi Chiba　　　　　　　　　　　Printed in Japan

ISBN978-4-405-08630-2

試合ですぐ役立つ！
『剣道パーフェクトマスター』別冊

剣道のルール
&基礎知識

※この別冊は取りはずして使うことができます。

新星出版社

1 剣道のルールを覚えよう！

試合の基本ルール

剣道の試合は、全日本剣道連盟が定めた試合・審判規則に基づいて、有効打突を競い合うものです。しっかりとルールを覚えて、日頃の稽古の成果を存分に発揮できるようにしましょう！

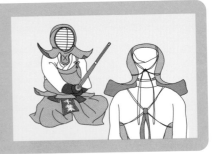

●試合場

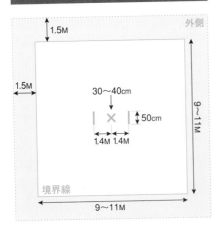

試合場は、床が"板張り"であることを原則に、一辺9〜11mの正方形もしくは長方形と規定されています。また、試合場の外側に1.5メートル以上の余地を設け、境界各線は、幅5〜10cmの白線とすることを原則としています。試合場の中心に一辺30〜40cmの×印をつけ、×印の中心から左右1.4m離れた場所に、それぞれ長さ50cmの開始線を設けます。

●試合時間

試合は、個人戦と団体戦という2つの形式で行われます。団体戦は、先鋒、次鋒、中堅、副将、大将という5人1チームで行うのが基本ですが、大会の規定によってチームの人数は変わる場合もあります。また、団体戦は勝ち星の数を競う点取り方式と、勝ち抜き戦という2つの方法のいずれかで行われます。

●勝敗について

試合は、三本勝負を原則としていますが、大会の運営上一本勝負とすることもできます。二本先取した方が勝利となりますが、一本先取したまま時間切れとなった場合は、一本勝ちと判定されます。また、時間内に勝敗が決まらない場合、一本勝負の延長戦を行いますが、団体戦の場合は引き分けとすることもあります。

●有効打突とは？

★こんな場合は有効！

1 竹刀を落とした相手に、ただちに加えた打突

一本（有効打突）を取るためには、充実した気勢と適正な姿勢で、相手の打突部位を刃すじ正しく打突することが条件となります。しかも、その打突が竹刀の物打ちの部分で打ったもので、打突後の残心もしっかりと行われていることが必要となります。"気剣体の一致"した打突を常に心がけて試合に臨みましょう！

★こんな場合は無効！

1 両者相打ち

2 場外に出ると同時に加えた打突

3 倒れた相手に、ただちに加えた打突

2 打たれた相手の剣先が、自分の上体前面につき、気勢と姿勢が充実している場合

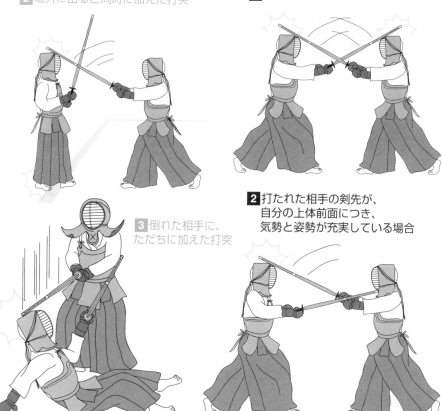

3

着装・用具の規定

剣道は激しい対人格闘技です。正々堂々
と試合を行うため、また、事故予防のた
めにも、竹刀や防具の規定を守ることが
重要となります。試合前には、これらを
念入りに点検しておきましょう！

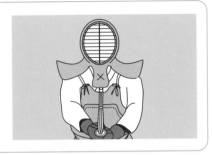

●竹刀の規定

　試合前には、試合で使用する竹刀
の計量などを行う検査があります。規
定に則した重さであるか、破損箇所
がないかなどが入念にチェックされ
ます。竹刀に不備があった場合は、そ

の竹刀を試合で使用することができ
なくなるので、事前に点検しておき
ましょう。また、検査を行っていな
い竹刀の不正使用があった場合は、失
格となるので注意しましょう！

★竹刀の基準

		中学生	高校生	大学・一般
長さ	男女共通	114cm以下	117cm以下	120cm以下
		114cm以下	117cm以下	120cm以下
重さ	男性	440g以上	480g以上	510g以上
	女性	400g以上	420g以上	440g以上
先革の太さ	男性	25mm以上	26mm以上	26mm以上
	女性	24mm以上	25mm以上	25mm以上

こんな竹刀は使用しないこと！

1 竹が折れてささくれのある竹刀

2 竹に虫食いや傷のある竹刀

3 先革の破れた竹刀

4 中結が切れたりゆるんでいる竹刀

5 柄革が伸びて弦がゆるんでいる竹刀

6 ちぎり（竹刀の握りの部分にある
鉄片）が不完全な竹刀

7 鍔が固定していない竹刀

8 セロテープなどで補修した竹刀

9 先ゴム、ちぎり以外のものを挿入した竹刀

★着装と剣道具（防具）の規定

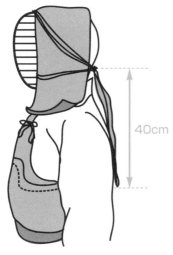

1 面紐の長さは結び目から40cm以内

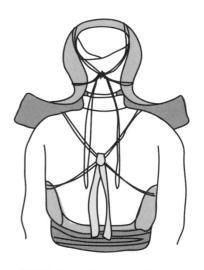

2 試合者は全長70cm、幅5cmの赤、もしくは白の目印を胴紐の交差している部分に二つ折りにしてつける

3 サポーターなどの使用は、医療上必要とする場合のみ、見苦しくなく、相手に危害を加えない範囲で認められる

所属地域 …横書き白文字

姓 …縦書き白文字

黒または紺色の布地

4 中央の垂に試合者の名札を左図のようにつける

反則について

剣道は武道ですから、礼儀や誠実さを欠く行為は絶対にしてはいけません！ 基本的に反則を2回犯すと相手に一本が与えられますが、度合いによっては即失格となることもあるのです！

1 禁止薬物を使用・保持すること（失格）

あっ！

2 不正用具を使用すること（失格）

長い!?

3 場外に出ること（反則2回で相手に一本）

かかってこいや!!

4 礼儀に反した言動をすること（失格）

あっ！

5 相手に足払い、足かけをすること（反則2回で相手に一本）

6 相手の竹刀を握ったり、抱えること（反則2回で相手に一本）

あっ！

あっ！

7 竹刀を落とすこと
（反則2回で相手に一本）

タイム！

あっ！

8 試合中に不正な中止要請をす
ること（反則2回で相手に一本）

あっ！

9 相手に手をかけたり、抱きつ
くこと（反則2回で相手に一本）

あっ！

10 相手を場外に押し出すこと
（反則2回で相手に一本）

11 相手の肩に竹刀を故意にかけ
ること（反則2回で相手に一本）

うぁ…

12 倒れたときにうつ伏せにな
ること（反則2回で相手に一本）

あっ！

14 不当な鍔ぜ
り合いや打突
（反則2回で相
手に一本）

ササササッ

13 試合中、故意に時間
を空費すること
（反則2回で相手に一本）

7

2 審判の合図

事項	事項	旗の表示
試合の開始と再開	「始め」	図1
延長戦となったとき	「延長、始め」	図1
有効打突を認めたとき	「面、小手、胴、突きあり」	図2
二本目を開始するとき	「二本目」	図1
両者一本一本となったとき	「勝負」	図1
勝敗が決定したとき	「勝負あり」	図1
一本勝ちしたとき	「勝負あり」	図2
不戦勝、失格、負傷、棄権など	「勝負あり」	図2
2回目の反則を犯したとき	「反則2回」を指で示し、「一本あり」	図2
有効打突を認めないとき	なし	図3

図1　図2　図3　図4　図5

審判は、主審1名、副審2名を原則とし、紅白の審判旗を持って、
有効打突や反則の表示、宣告を行います。
これらの合図をしっかり頭に入れておきましょう！

事項	事項	旗の表示
有効打突の取り消し	「取り消し」	図3
相殺のとき	「相殺」	図3
判定を棄権するとき	なし	図4
勝敗が決しないとき	「引き分け」	図5
試合を中止するとき	「止め」	図6
鍔ぜり合いが膠着したとき	「分かれ」	図7
鍔ぜり合いから分かれて再開するとき	「始め」	図1
審判員が合議するとき	「合議」	図8
反則のとき（指で示す）	「反則○回」	図9
同時反則のとき（指で示す）	「反則○回」	図10

図6　　　図7　　　図8　　　　　図9　　　　　図10

3 試合当日のシミュレーション

試合当日の流れ

いよいよ試合当日。これまでの稽古の成果を発揮するためには、試合における注意すべきポイントを把握しておくことも大切です。一日の基本的な流れをシミュレーションしてみましょう！

●試合会場に到着、受付を忘れずに！

　試合当日の朝は早めに起床することが大切。ギリギリで慌てて会場入りすると、試合に対する集中力が低下してしまいます。会場には余裕を持って出発し、到着したら、すみやかに受付を済ませ、竹刀の検査などを忘れずに行いましょう。

●試合前のウォーミングアップ

　チームメイトと一緒に円陣を組むなどして、試合に対する心構えをしっかりと作りながら軽い準備運動から始めます。切り返しで身体を徐々に慣らし、掛り稽古などでスムーズな身体の運びと技が充分に出せるようにします。得意技や欠点の確認もしておきましょう。

●試合の集中力を高める

試合の直前においては、いかに集中力を高められるかが勝負のカギを握ります。会場であれこれ悩んでも、稽古してきた以上のことはできないのです。ゆっくりと息を吐き、心を落ち着かせ、思い切って打っていく心構えを作りましょう！（長呼気丹田法）
<small>ちょう こ き たん でん ほう</small>

●試合結果を踏まえた練習

相手に勝つために、いろいろな攻防を繰り広げる試合は、とても貴重な経験を与えてくれるものです。勝っても、負けても、試合の内容から自分の剣を磨くための課題が見つかるはずです。その課題を踏まえた練習を行いましょう！

●身体のケア

試合が終われば、激しい運動と緊張感のせいで心身ともに疲れきっているものです。そのままの状態にせず、必ず整理運動などで心と身体のケアを行いましょう。また、帰宅後は入浴中にマッサージなどをし、早めに就寝しましょう。

試合の作法を覚えよう

試合では、礼法や作法をしっかり行うことも重要なことです。戦う相手を尊重する姿勢を表すためだけでなく、試合の集中力を高めるためにも、正しい作法をきちんと覚えておきましょう！

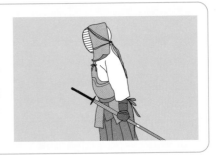

●試合前の整列

団体戦では、試合前に整列して立礼を行います。試合場の正面に近い側から、大将〜先鋒の順に整列し、主審の号令に従って、正面、相手チームに対してそれぞれ立礼をします。試合後も同じく、整列して立礼を行いますが、次の試合がある場合は、正面に近い側に次のチームが一緒に整列し、始まりの礼も同時に行います。しっかりと頭に入れておきましょう！

団体試合の整列方法

●1チームずつの場合

正面

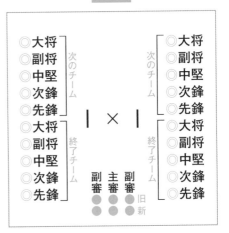

【白】　　　　　　　【赤】

◎印は立礼の位置

◎大将　　　　　　大将◎
◎副将　　　　　　副将◎
◎中堅　｜ × ｜　中堅◎
◎次鋒　　　　　　次鋒◎
◎先鋒　　　　　　先鋒◎

●　●　●
副　主　副
審　審　審

●次チームと一緒の場合

正面

◎大将　　　┐　　　　　　　　　　┌　◎大将
◎副将　　　｜次　　　　　　　次｜　◎副将
◎中堅　　　｜の　　　　　　　の｜　◎中堅
◎次鋒　　　｜チ　　　　　　　チ｜　◎次鋒
◎先鋒　　　┘ム　　　　　　　ム┘　◎先鋒
◎大将　　　┐終　　　　　　　終┌　◎大将
◎副将　　　｜了　　　　　　　了｜　◎副将
◎中堅　　　｜チ　｜ × ｜　チ｜　◎中堅
◎次鋒　　　｜ム　　　　　　　ム｜　◎次鋒
◎先鋒　　　┘　　副　主　副　　┘　◎先鋒
　　　　　　　　審　審　審
　　　　　　　●　●　●　旧
　　　　　　　●　●　●　新

試合のときの基本的な作法は、まず提刀姿勢のまま試合場に1歩入ります。その場で15度の目礼を行い、帯刀姿勢になります。帯刀のまま右足から3歩前進し、開始線の位置でそんきょに構えます。主審の「始め」の宣告で立ち上がって試合開始となり、試合後「勝負あり」の宣告でそんきょして竹刀を納めます。帯刀姿勢で左足から3〜5歩で立礼の位置に下がり、提刀にして最後の目礼を行ってから、試合場の外に出ます。勝ったからといってはしゃいだり、負けたからといって礼もせずに試合場を出たりすることのないように！

1 試合場に提刀姿勢で1歩入り、立礼の位置で15度の目礼を行う。

4 主審の「始め」の宣告で、立ち上がって試合開始。

2 帯刀姿勢で右足から3歩前進。

5 主審の「勝負あり」の宣告で、そんきょして竹刀を納める。

3 開始線の位置でそんきょに構える。

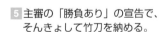

6 帯刀姿勢で左足から3〜5歩下がり、提刀にして最後の目礼を行う。

3 剣道の基礎知識

段級位制について

剣道には、六級〜一級までの級位、初段〜八段までの段位があります。段級位は、剣道の技術的力量と精神的要素を表し、定期的に行われる昇級・昇段審査に合格すると授与されます。

剣道にゴールなし！

段級位	受審資格
六級〜二級	条件、制限なし
一級	小学6年生以上の者
初段	一級受有者で中学2年生以上の者
二段	初段受有後1年以上修行した者
三段	二段受有後2年以上修行した者
四段	三段受有後3年以上修行した者
五段	四段受有後4年以上修行した者
六段	五段受有後5年以上修行した者
七段	六段受有後6年以上修行した者
八段	七段受有後10年以上修行し、46歳以上の者

●称号について

剣道には段位のほかに、指導力や識見などを備えた剣道人としての完成度を示す、錬士、教士、範士という3つの称号があります。称号審査の受審資格は、錬士が六段受有者で規定の年限を経過した者、教士が錬士七段受有者で規定の年限を経過した者、範士が教士八段受有者で、八段受有後8年以上経過した者とされ、いずれも加盟団体会長の推薦が必要とされます。範士は、さらに全剣連会長の認可が必要となります。審査はとても厳しく、剣道の奥深さを象徴しています。

あ

● 相打ち
両者の有効打突が同時に行われること。試合では両者の打突は無効になります。

● 居つき
攻防の動作中、瞬間的に対応動作ができなくなった状態のこと。

● 打太刀と仕太刀
剣道形を行う際に、師の立場にあって、技を仕掛け、それに応じた技で勝つ方法を教える側を打太刀、その師に教えを受ける弟子の立場の側を仕太刀といいます。

● 表と裏
中段に構えたとき、自分の竹刀の左側を表、右側を裏といいます。

か

● 形
「日本剣道形」は太刀七本、小太刀三本からなっており、大正元年に選んで制定したものです。昇段審査の必須項目でもあります。

● 合議
審判員が、試合中に反則やその疑いを発見した場合に、互いに相談すること。

さ

● 冴え
打突の瞬間、右手と左手の力のバランスあるスピードと、体さばきが調和することによって、竹刀の打突部に働く力のこと。

● 地稽古
互角稽古のこと。

● 止心
心がある一点にとらわれて、他に注意が行き届かないこと。

● 鎬
弦を上にして竹刀を見た場合、竹刀の横の部分のこと。

● 先
相手の攻撃を事前に抑えて技を仕掛けること。

た

● 手の内
竹刀の握り方、打突したときの力の入れ方、ゆるめ方など、手による竹刀操作の総称。

は

● 刃すじ
打突するときの竹刀の軌道のこと。

● 平打ち
刀の刃の部分（弦の反対側）ではなく、腹の部分（鎬）で打つこと。この打突は無効となります。

ま

● 間合い
相手と自分との距離のこと。

● 目付け
自分の目のつけどころのこと。

● 元立ち
掛り稽古、基本稽古などを行う際に、指導者の立場にある者のこと。

『剣道パーフェクトマスター』別冊